Aniversário

FÓSFORO

CÉSAR AIRA

Aniversário

Tradução do espanhol por
JOCA WOLFF E PALOMA VIDAL

Posfácio por
JOCA REINERS TERRON

1

EU FIZ CINQUENTA ANOS HÁ POUCO TEMPO, e tinha acumulado grandes expectativas com a data, não tanto pelo balanço do vivido que eu então poderia fazer, mas pela renovação, pelo recomeço, pela mudança de hábitos. De fato, não pensei nem por um instante em fazer um balanço ou avaliar o meio século passado. Tinha a vista fixa no futuro. Via o aniversário só como um ponto de partida, e mesmo sem entrar em detalhes nem fazer planos concretos, tive esperanças muito brilhantes, se não de começar uma vida totalmente nova, ao menos de me liberar, pelo aniversário incontestável, de alguns dos meus velhos defeitos, o pior dos quais sendo justamente a postergação, o repetido descumprimento das minhas promessas de mudança. Não era tão despropositado. Afinal de contas, dependia só de mim. Era mais realista do que as esperanças ou temores que a humanidade deposita no ano 2000, porque completar cinquenta anos não é algo tão arbitrário como uma data no calendário. Ao contrário do que costuma acontecer nesses casos, as esperanças, mesmo as mais infundadas, atuavam a meu favor, já que podiam se mostrar uma profecia autorrealizável. Tudo indicava que isso aconteceria, a julgar pelas minhas expectativas.

E, no entanto, nada aconteceu. O dia do meu aniversário chegou e passou: trabalhos pendentes, ocupações banais, a força da rotina, que nesta idade se torna tão dominante, competiram para que passasse sem pena nem glória. A culpa foi minha, é claro, porque se eu queria que houvesse uma mudança, eu mesmo devia tê-la efetuado, e na realidade confiei na magia do acontecimento, me deixei estar, continuei sendo o mesmo de sempre. Que outra coisa eu podia esperar, em termos práticos, se não tivera nenhuma intenção de me divorciar, nem de me mudar, nem de trocar de trabalho, nem de nada especial? Enfim, encarei filosoficamente e continuei vivendo, o que não é pouco.

O erro, se houve algum, foi não perceber que as mudanças vêm de onde menos se espera, e é isso que as torna mudanças genuínas. É uma lei fundamental da realidade. A coisa que muda é outra, não a que a gente esperava. Caso contrário, seguimos na mesma. Não se trata tanto de negligência ou de erro de cálculo, nem mesmo de falta de imaginação, porque até a imaginação tem seus limites. As expectativas de mudança se constroem em torno de um assunto, mas a mudança é sempre uma mudança de assunto. Eu deveria saber, pela minha experiência de romancista. Mas tive que esperar os fatos para entender.

Alguns meses depois, numa linda manhã de outono, ia andando pela rua com Liliana. Ergui a vista, aspirando o ar frio e tonificante. O céu estava limpo, de um azul-claro luminoso; lá em cima, à minha esquerda, uma meia-lua desenhada naquele branco poroso do dia; à direita, escondido de nós pelos prédios, o Sol ainda baixo. Eu me sentia eufórico, coisa nada rara em mim (é meu estado natural), risonho e otimista. Estava tagarelando sobre qualquer coisa e, de repente, com a leve intenção de fazer uma espécie de piada, disse o seguinte:

"Deve ser mentira que os recortes da Lua são produzidos pela sombra que a Terra projeta ao se interpor entre a Lua e o Sol, porque agora tanto o Sol como a Lua estão no céu, a Terra não se interpõe nem um pouco, e ainda assim a Lua está recortada. Nos enganaram esse tempo todo! Ha, ha, ha. As formas da Lua devem ser provocadas por alguma outra coisa, e querem que a gente acredite... ha, ha... que é a sombra da Terra!... Que absurdo!"

Minha esposa, que nem sempre aprova meu senso de humor, ergueu por sua vez a vista, surpresa, e me perguntou:

"Mas quem foi que disse que é a sombra da Terra que produz as fases da Lua? De onde você tirou isso?"

"Me ensinaram assim", menti. "Em Pringles."

"Não é possível. Ninguém pode ter pensado uma sandice dessas."

"Mas então como é? Como?"

"Não tem nenhuma sombra. O Sol ilumina a Lua e, como acontece com qualquer fonte de luz que ilumina uma esfera, não ilumina inteira, mas só a metade. Segundo a posição relativa da Terra, vemos uma porção dessa metade; a porção visível vai crescendo até vermos a metade inteira, que é quando a Lua está cheia, e depois decresce até não vermos nada dessa metade iluminada. É muito fácil."

"Sério? Então fui só eu que vivi enganado, ha, ha."

Deixamos pra lá, numa nebulosa de piada, uma das tantas que faço ao longo do dia. Basta dizer que é uma piada "ruim" e ninguém se preocupa em buscar seu sentido. Exceto que dessa "piada" eu não esqueci, e pouco a pouco foi se tornando patente a monstruosidade da minha ignorância. Era verdade que eu tinha vivido enganado, e não a respeito de uma coisa sobre a qual fosse perdoável se enganar, mas de uma coisa tão óbvia, tão visível, que era quase o modelo do óbvio e do visível. Que eu me considerasse um intelectual, um homem culto, curioso e inteligente, tornava minha piada mais risível. A Lua sempre está aí, pendurada na nossa frente, sempre acesa, chamativa, todas as noites da vida, suas formas se repetindo com pontualidade, doze vezes por ano. E o Sol como um refletor, a Terra com seus dias e suas noites, tudo girando... Uma criança de oito anos não muito imbecil podia ter tirado as conclusões corretas. Ou um selvagem, um homem primitivo, o primeiro homem, na sua primeira tentativa de pensamento.

Exorbitante como parece, minha ignorância nesse ponto da cosmologia básica se explica simplesmente pela distração. Uma distração histórica. Em algum momento da minha vida, na infância, eu devo ter me dado essa explicação para as fases da Lua, quem sabe de passagem, sem pensar muito, com a magérrima meia-lua do meu cérebro que naquele momento iluminava minha atenção, e depois disso nunca mais (em cinquenta anos!) pensei de novo, nem por um segundo, no assunto. Não foi um caso de "nunca pensei nisso", mas de "pensei nisso uma só vez", o que é pior.

E olha que muitas vezes me disseram que eu "vivia na Lua". Se realmente vivesse, não teria ganhado nada, porque dali as fases da Terra devem ser parecidas, e a causa a mesma. Claro que na Lua (isso eu até pensei) eu não teria sobrevivido mais de meio minuto, por falta de ar. Não teria tido tempo nem serenidade espiritual para fazer histórias absurdas sobre a mecânica celeste. O medo da asfixia, que me perseguiu cada minuto da vida, me dava a desculpa para não pensar. Enquanto isso, estava na Terra, respirando perfeitamente, mas a desculpa persistia. Dispondo de um longo meio século, só consegui produzir um vazio, um furo. O mais grave é a quantidade de furos iguais a esse dos quais meu pensamento deve estar feito.

O único miserável consolo que me restava era que essas distrações foram o preço que paguei pela minha atenção em outras questões.

Que a economia de atividade mental num ponto servia para concentrar lucidez em outros. Como desculpa, é pobre, mas quem sabe tenha um fundo de verdade. É pobre porque o ponto cego se mostra escandaloso demais; o que ela tem de verdadeiro pode residir justamente no preço alto. Talvez eu tenha precisado ignorar demais para me dar a amplitude de invenção de que carecia para cobrir outras ignorâncias. Se eu não sabia viver, era um dispêndio escandaloso empregar minhas modestas capacidades em entender algo tão vão e decorativo como as fases da Lua. No fim das contas, fiz todos os meus trabalhos com o único propósito de compensar minha incapacidade de viver, e eles mal conseguiram me manter na superfície. Fiz muito, e não sobrou nada. O que há de surpreendente que tenha precisado pagar com assombrosos furos? Para que um homem com deficiências tão abismais como as minhas pudesse chegar aos cinquenta anos, teria precisado ser um gênio; como não sou, tive que montar um simulacro de genialidade, laborioso e complexo, que inevitavelmente deu numa figura desequilibrada, com altos e baixos muito pronunciados e fora de lugar, na verdade a silhueta de um monstro.

Essa anedota da Lua me deixou sonhador. Como eu disse, não tanto por eu ter me enganado a respeito do que provoca suas fases, mas porque interpus uma apressada explicação falsa e não pensei mais. Certamente fiz isso em algum momento da minha infância. Mas em qual? Em qual, exatamente? Em que dia, a que horas, em que circunstâncias? Diria que é impossível determinar. Todo esse passado remoto se confunde numa mistura inextricável de esquecimento e invenção, de que se vislumbram fragmentos soltos ao acaso. Tento lembrar de mim pensando na Lua... A única coisa que me vem é uma lembrança de uma noite de verão, em Pringles, eu devia ter sete ou oito anos, tínhamos saído para a calçada depois de jantar, como sempre fazíamos, e eu estava brincando com um menino vizinho, Omar, enquanto nossos pais conversavam. Omar e eu éramos inseparáveis, tínhamos a mesma idade, morávamos um do lado do outro. As noites de Pringles eram muito escuras: havia apenas uns lampiões macilentos pendurados nas esquinas, e só nas ruas asfaltadas; como a nossa era a última desse lado da cidade, depois dela se estendia a grande escuridão. Além disso, as casas eram pouco iluminadas. A eletricidade continuava sendo para nós uma tecnologia nova e estranha, e seu gasto era temido; nunca havia uma lâmpada acesa, nem um minuto sequer, se não estivesse sendo usada; para sairmos um pouco até a calçada para pegar um ar depois de jantar, nos dávamos o trabalho de desligar todas as luzes da casa. Essas condições promoviam a contemplação do firmamento estrelado, que brilhava como não o vi brilhar em lugar nenhum. A Via Láctea corria no mesmo sentido da nossa rua. Essa noite Omar me disse, olhando para a Lua: "Você não acha que a Lua é boa?". Boa? Qualquer outro adjetivo teria me parecido mais adequado. Por que boa? Porque sempre o acompanhava; ia sempre aonde ele ia. "Olha", disse, "está vendo?" Estava à nossa esquerda, um pouco atrás, como se olhasse sobre nossos ombros. Omar saiu correndo a toda velocidade, e eu com ele; parou trinta metros adiante: "Lá está ela, no mesmo lugar". De fato, continuava à nossa esquerda, um pouco atrás, como se tivesse corrido com a gente. Omar me contava essa sua ideia como algo em que ele tinha acreditado "quando era pequeno", quer dizer, num passado muito remoto, embora não tivesse nem dez anos. Notei que é comum as crianças calcularem desse modo o tempo das suas breves vidas, como eternidades. Também é provável que nesse caso ele tenha usado certa ironia, o que não seria estranho nele; adivinhei isso pelos olhares que dirigia a mim, um pouco insistentes demais; quem sabe como uma armadilha de algum tipo; vivíamos numa permanente competição de inteligência, o que também é bastante comum nas crianças. Precisei fazer uma rápida revisão mental das possibilidades em jogo, porque associei (ou associo agora) com outra lembrança.

Certa vez eu tinha acompanhado meus pais a uma loja de móveis da cidade, a mais importante ou quem sabe a única. Fomos comprar alguma coisa, não me lembro o quê. Em dado momento meus pais começaram a conversar com a esposa do dono, uma senhora de certa idade, gorda, muito arrumada, com um topete e um colar de pérolas, e um pesado sotaque italiano. Acho que a loja acabara de ser inaugurada, e a senhora a elogiava e mostrava suas belezas. Num determinado ponto, ela nos mostrou um quadro pendurado numa parede; era um retrato, acho que de uma mulher, um retrato de ninguém, certamente uma reprodução barata, mas a senhora disse que tinha uma virtude muito especial, e era que se a gente ficasse bem na frente dele, os olhos da modelo olhavam os olhos do observador... Mas se a gente dava uns passos para o lado (nos convidou a experimentar), os olhos da mulher pintada continuavam olhando quem a olhava. Fosse aonde fosse, a pintura devolvia o olhar nos olhos, como um truque de mágica. A senhora ria, muito satisfeita, repetindo que era um quadro muito especial, muito engenhoso. Devo dizer que eles tinham esse quadro como decoração, não estava à venda, de modo que não era uma manobra de vendedora, coisa que, por outro lado, essa senhora não era, pois ia à loja para fazer companhia ao marido e conversar com os clientes, como faziam tantas esposas de comerciantes da cidade, de tão entediadas que estavam. Seu elogio era sincero. Meus pais manifestaram uma admiração cortês e eu fiquei o resto da visita diante do quadro, me deslocando de lado, avançando, retrocedendo. Quando saímos, minha mãe ria da ignorância da senhora, que tomava por um traço único e maravilhoso o que era uma característica de todos os quadros ou fotos em que o modelo olhava o pintor ou a câmera. Eu assentia, mas sem conseguir dizer se já sabia ou se estava aprendendo aquilo naquela ocasião; sinceramente não conseguia dizer.

Suspeitava algo desse tipo da observação de Omar sobre a Lua. Era bastante provável que ele quisesse me fazer confessar, numa distração, que existia um mecanismo do mundo que eu ignorava. As crianças estão sempre examinando umas às outras nesse sentido, encenando complicadas charadas para obter confissões involuntárias de ignorância. Quando topam com um adulto que manifesta uma dessas ignorâncias, como a senhora da loja de móveis, esse adulto fica marcado como uma mancha na sua aprendizagem da vida.

De qualquer modo, essa questão do olhar fixo-imóvel não é a mesma coisa que a das fases da Lua, embora, quem sabe, fazendo associações e puxando uma coisa da outra, eu tivesse alguma possibilidade de situar o momento em que cometi o erro; quem sabe numa triangulação com algumas crianças bolando armadilhas, e eu aos cinquenta anos fazendo o papel do adulto transtemporal que tinha essa lacuna específica do saber. Mas não estou com vontade de me dar ao trabalho. Isso me tomaria tempo demais, sem nenhuma garantia de sucesso.

O passado não é uma construção imaginária como qualquer outra. Não sei como há quem possa afirmar isso, por exemplo, os historiadores modernos. O que aconteceu, aconteceu justamente porque foi real. Os detalhes do passado têm uma importância capital, não só para estabelecer uma cronologia, mas pelo jogo das causas e dos efeitos. Embora sobredeterminado, o presente se eleva por fios sutis a algum átomo de realidade, que só pode ser identificado se o situarmos em seu lugar exato da sucessão de fatos do passado.

Pois bem, tudo o que escrevi até este ponto me leva a pensar que o momento em que cometi o erro ou distração ou explicação apressada a respeito das fases da Lua é a origem da minha incapacidade de viver. De modo que se eu pudesse fazer a história desse instante, resolveria o mistério que me persegue.

Menos dramático, mas muito mais verossímil, seria dizer que não foi um momento, mas um processo: o processo de perder o tempo, que é prolongado por natureza. Na minha idade, não posso ver a não ser com espanto as eternidades de tempo perdido na minha juventude. A falta de método, os desvios sem sentido, as esperas de nada. As horas desperdiçadas, os dias, os anos, as décadas. E há certa justiça poética em que a vítima aparente tenha sido a Lua, esse lembrete poético do tempo perdido.

2

HOJE VIM PARA PRINGLES, por uma semana. Escrevi o capítulo anterior de manhã, no café Avenida, que estava completamente vazio, como costumam estar os cafés aqui, sob o olhar atento da garçonete. É uma moça jovem, nova nesse café, ao menos nova para mim, que venho à cidade duas ou três vezes por ano. Logo ao me atender me perguntou se eu era escritor, manifestando sua admiração por essa atividade; ela também escrevia, disse, sempre, o tempo todo, para desabafar ou se expressar etc. A pressa para me dizer isso significava evidentemente que eu era o primeiro escritor que ela conhecia, e a entusiasmava a ideia de poder falar, por fim, com alguém do ofício. Durante toda minha sessão ali não tirou os olhos de mim, entre outros motivos porque não tinha nada para fazer, e quando fui ao balcão para pagar, voltou ao assunto. Queria que eu lhe falasse sobre o que é ser escritor, mas, como acontece sempre, foi ela quem falou. A seguir, faço um resumo do que me disse.

Ela tem dezessete anos e é de Suárez; está em Pringles só porque conseguiu esse trabalho, nas suas folgas volta a Suárez, onde seus pais e irmãos moram. Não estuda. É muito loira, muito branca, alta e magérrima, não bonita, mas leve, intensa. Deve ser dos chamados "russos" de Suárez, onde há populosas colônias. Eles se dizem "alemães" e, curiosamente, são as duas coisas, pelo que sei: imigrantes russo-alemães ou "alemães do Volga", quer dizer, alemães que viviam na Rússia desde a época da germanização russa, na época de Isabel Ivánovna e Potemkin, ou algo do gênero; eu deveria saber, porque também sou descendente deles.

Escreve. Escreve sempre, não conseguiria viver sem escrever. Escrevendo consegue dizer o que não consegue dizer falando. Uma vez ganhou o segundo lugar em um concurso de redação, com uma "Carta a Jesus". Perguntei se era um tema dado ou se ela tinha escolhido. Demorou um tempo longuíssimo para entender o que eu estava perguntando. Era o segundo. Ela achou que Jesus estava muito esquecido, principalmente pelos jovens. A gente só se lembra de Jesus quando precisa dele, nos momentos difíceis, e no resto do tempo não pensa nele. Sobre isso eu não tinha nada a responder.

Para ela, escrever é o único modo de se expressar, e de entender o que acontece. Foi aí que perguntei sua idade. "Me aconteceram muitas coisas", ela disse. O principal é que agora perdeu o medo da morte, com o qual tinha vivido obcecada durante muitos anos. Agora entendeu que a morte não é o fim. Que depois da vida vem outra vida, igual à anterior ou melhor, porque é sem dor. Aprendeu isso com a morte do irmão mais velho, que foi a pessoa mais importante da sua vida. Seu irmão foi um pai para ela, o pai que ela não teve, porque o pai os abandonou quando ela era muito pequena e nunca mais voltou. Seu irmão estava sempre ao seu lado, quando ela precisava, lá estava ele, antes que ela tivesse que pedir ajuda, ele ajudava. E agora, morto, o irmão continua junto dela. Às vezes se pega falando com ele, às vezes sente que tem alguém do seu lado, e é seu irmão. Essa companhia sobrenatural está ligada, para ela, à experiência de escrever. Daí concluiu que há outra vida: seu irmão continua vivo de algum modo, agora livre da dor que foi a única coisa que conheceu nesta vida. Eu continuava sem falar nada, só assentindo e fazendo alguma pergunta, mas depois pensei que ela se contradizia, porque sua convicção estava provando que seu irmão não tinha ido viver outra vida (isso foi o pai que fez), mas continua nesta, e fazendo o que fazia por ela nesta vida, mas aliviado do seu penoso envoltório material.

Depois dessas confidências, ditas com tanta naturalidade, como se toda a sua vida fossem confidências, e dizê-las e falar fossem a mesma coisa, voltou, no mesmo movimento do discurso, ao seu hábito de escrever: faz isso sempre, principalmente ao voltar para casa de ônibus. Na última vez, por exemplo, já estava chegando quando lhe ocorreu uma coisa e, por medo de esquecer se não anotasse, escreveu depressa antes que o ônibus parasse. Aí sim eu pude dar meu palpite: acontece a mesma coisa comigo, estou sempre anotando minhas ideias, porque se não anoto, esqueço, se apagam completamente, sobretudo as que me vêm à mente na hora de acordar, as mais voláteis, porque não é possível reconstruir a cadeia de pensamentos que levou a elas. Quantas vezes me arrependi por não anotá-las: depois lembro de ter tido uma ideia ótima, mas não me lembro qual era, e me atormento por ter uma promessa vazia, definitivamente vazia. Ela ficou em silêncio, com o olhar perdido, como quem diz "que estranho". Estávamos falando de coisas diferentes.

Ela tinha as mãos vermelhas, certamente pelo trabalho de lavar taças e xícaras que deve fazer aqui. Os dentes, lindos. Por trás da sua segurança infantil, havia um fundo de ansiedade, difícil de localizar. Disse algo a ela, mais para continuar a conversa do que qualquer outra coisa, sobre a escrita como segredo, mas ela não teve reação: era óbvio que para ela não era um segredo. Me ocorreu dizer isso pensando em mim na sua idade: escrever não foi quase nada além de um segredo. Quem sabe ela não tivesse segredos. Ou já tinha me dito seus dois segredos: o medo vencido da morte e a anotação de ideias. Fiz um retrato geral dela na moldura da comunidade da qual provinha: o clima rigoroso, a devoção religiosa, a ignorância, a pobreza, um fundo racial de endogamia que a fizera tão loira e tão segura de si mesma, ao mesmo tempo que matara seu irmão, que talvez tivesse nascido doente e sobrevivido vinte anos no sofrimento. Seu irmão era Jesus, morto e ressuscitado, e ela sua evangelista.

Fiquei com uma dúvida, uma coisa que me interessa demais, mas tive vergonha de perguntar: que tipo de caderno ou caderneta usava para anotar suas ideias em qualquer lugar, por exemplo, no ônibus? Eu perguntaria isso para todos os escritores, para ver se pela via estatística conseguiria me aproximar do ideal perseguido por mim, do caderno adaptado a todos os lugares e momentos.

Outro detalhe importante que ficou sem desenvolver foi o das ideias que a gente tem ao acordar. Certamente foi o caso do que ela anotou no ônibus; devia ter dormido na viagem; todos os jovens dormem quando viajam. Caso contrário, não teria especificado que isso aconteceu quando já estava entrando na sua cidade; o relógio interno do hábito a acordou ao chegar, e ali estava a ideia que quis registrar. Para mim também vêm nesse momento, embora na minha idade, é claro, eu durma muito menos; defeito que compenso na soma total, porque aos cinquenta anos necessariamente dormi mais do que uma jovem. Dou uma importância especial a essas ideias do despertar, não porque provenham de profundidades oníricas ou inconscientes, nas quais não acredito, mas porque estão colocadas ali, depois de uma ausência. Você abandona o mundo, por um lapso longo ou curto... e retorna. Ao retornar, encontra o mundo onde o deixou, mas ligeiramente mudado, pela ação do tempo (não importa se foi um minuto).

Não importa se é um décimo de segundo, um pestanejar. De fato, nesse terreno, as coisas passam muito rápido. Mesmo que houvesse cadernos e canetas adequados para seguir o ritmo do pensamento, ainda assim escaparia deles o salto entre a ida e a volta.

Eu não sou um adepto de Jesus, mas posso imaginar mais ou menos como opera sua natureza histórica sobre quem tem fé. Nossa civilização lhe deve o Passado. A morte e a ressurreição o tornaram o deus do salto, o modelo segundo o qual funciona a lacuna no tempo. Um longo temor da morte pode dar passagem a seu ensinamento.

A garota do Avenida chegou à conclusão de que não se deve temer a morte. O hábito de escrever (o segredo que não é segredo), e as ideias que chegam a qualquer momento e é preciso anotar, ensinaram-lhe isso. Da minha parte, penso que muito mais temível do que a morte individual é a morte de todos, a morte do mundo que conhecemos e que somos, quer dizer, o Fim do Mundo. Paradoxalmente, para essa grande morte não é preciso esperar a morte individual, porque o Fim do Mundo nos acompanha todos os dias, está acontecendo imperceptivelmente em cada pequeno fato que ocorre, no acaso dos fatos e dos pensamentos.

3

MEU PRINCIPAL DEFEITO, do qual derivam todos os outros, é a falta de um ritmo estável e previsível, em que os fatos e as ideias vão encontrando seu lugar. Se eu tivesse isso, não importaria existirem lacunas aqui e ali, porque elas se preencheriam por si sós. Uma ignorância pontual, uma inexperiência: seria até gratificante sofrê-las, para comprovar o quanto o curso mesmo da existência as completaria (isso me faria sentir que a vida merece ser vivida, com todos os seus ensinamentos).

Meu estilo é irregular: estabanado, espasmódico, piadista; piadista por necessidade, por precisar justificar o injustificável, dizendo que na verdade não estava falando sério. Mas, se a necessidade intervém, então não é uma piada. Essa piada idiota sobre a Lua na verdade não era uma piada. É claro, eu não engano ninguém. As lacunas continuam sendo lacunas para sempre, a não ser que um acaso grandioso venha me corrigir. Se fossem só lacunas de conhecimento, não me preocuparia tanto; mas também há buracos de experiência, e também com eles estou à mercê do acaso benévolo das circunstâncias. E o jogo das probabilidades se joga com números tão exorbitantes que fico atordoado só de pensar. O que eu posso esperar, em termos realistas, se são necessários um milhão de anos para que se dê a precisa constelação de fatos objetivos em que alguma coisa aconteça comigo?

Essa falta de ritmo regular explica que eu tenha que anotar cada uma das ideias que me ocorrem; elas são tão vãs e fugazes que valem um segundo no tempo; e tão incoerentes que se não as anoto, as perco, porque não há nenhum fio que as una entre si, o fio com o qual poderia recuperá-las atravessando todas as distrações.

Por isso minha mente está em contínuo movimento, num borboleteio sem sossego. Anotar tudo isso vai além da capacidade humana. Uma das minhas fantasias inconsequentes foi a de inventar um bloco adaptado à hiperatividade cerebral; daí deve vir meu fetichismo com os cadernos, cadernetas e canetas. Eu precisaria de uma anotação especial, mas mais ou menos me viro com a escrita comum. No fundo, todas essas fantasias que a gente tem de ser o engenheiro das suas próprias peculiaridades são vãs porque são metáforas de uma realidade que acontece de qualquer forma: eu me tornei escritor e meu bloco mágico, minha anotação, são, tematizadas, minhas novelinhas.

Mas um escritor sempre gostaria de ser outro. A isso se reduz concretamente a grandeza e a variedade da literatura. Eu gostaria de ter estilo; se tivesse, toda a minha experiência se encadearia de modo que os fatos e os pensamentos se sucedessem por algum motivo, não por capricho ou por acaso. Se eu tivesse razões estáveis no meu comportamento, teria me poupado surpresas como a da Lua. Não teria precisado pular o básico, mas o teria percorrido metodicamente no seu devido tempo, e agora não estaria lamentando o tempo perdido da minha juventude. Pular é contra a natureza. O tempo não dá pulos. Para fazer uma comparação, bastante imperfeita, mas de todo modo eloquente: meu itinerário intelectual deveria ter sido como a prosa desses bons escritores do século 18 que eu sempre quis ter como modelos. Cada frase leva implícita uma pergunta, que a frase seguinte trata de responder, ao mesmo tempo que propõe uma nova pergunta... Assim tudo se encadeia, e o leitor não pode se perder, mesmo que preste o mínimo de atenção; atenção que o texto montado desse modo estimula e canaliza.

Como tantos outros, eu fiz da necessidade virtude, e dessa falta de estilo meu estilo. Assim como o tempo, o conceito de estilo é um contínuo que cobre tudo, até suas próprias negações. Foi assim que cheguei a ser um escritor conhecido e celebrado. Não teria conseguido de qualquer modo, porque se eu tivesse querido ser como os outros, teria tido concorrentes demais, e quase todos teriam feito melhor do que eu. A literatura tem essa qualidade maravilhosa de ser acolhedora mesmo fora de si mesma, e por isso lhe sou tão agradecido. Por isso me aferrei a ela de modo tão fanático e desesperado. Nunca me importei com o sucesso... Todos dizem isso, e costuma não ser verdade. Eu me importei bastante, mas só para ter a justificativa familiar e social que me permitisse continuar escrevendo. Caso contrário, precisaria ter continuado a fazer isso em segredo, o que teria sido deprimente.

Fora da literatura, era-me extremamente difícil viver, então não deixei quase nada fora. Ainda assim, ao mesmo tempo, tudo fica de fora, desde que levanto até ir dormir, porque preciso viver como todo mundo. O dentro e o fora (da literatura) estão numa guerra permanente pela supremacia; mas não são como dois exércitos que se enfrentam, e sim forças que se alternam, numa guerra de metamorfoses e devorações. Os inconvenientes e problemas e angústias e paralisias que entram na literatura tornados máquinas de felicidade deixam para trás (fora) uma prole inumerável à qual é preciso aplicar o mesmo tratamento... À medida que os anos passam, são necessárias invenções cada vez mais estranhas e carregadas; por sorte, cada vez se torna mais fácil para mim, e além disso nesse ponto também a História me justifica, porque faz acreditar que evoluo, que aprofundo meu mundo interior... Muitas vezes me perguntei com o que é que as pessoas normais ocupam seu tempo, já que para mim o trabalho de levar a vida ocupa até meu último minuto, e eu mal dou conta.

A partir da minha identidade de Escritor, eu poderia considerar essa garota do Avenida e suas pretensões de escritora amadora com certa superioridade paternalista. Seria normal, e o que ela mesma estava esperando. Mas sinto que chegou a hora de ver isso sob uma luz diferente. Fazia tempo que eu tinha começado a suspeitar que os jovens podem ter, na verdade, condições superiores; muito estranhas, muito excepcionais, um em cada mil... Mas uma vez admitida a realidade de um caso, é possível multiplicá-la pelo número que se quiser. Não sei por que, mas certamente num gesto defensivo, quem sabe para manter sólido e num bloco só meu ceticismo, nunca acreditei na existência real dos superdotados. Eu os admitia como uma espécie de ficção poética ou instrutiva, pensava que, assim como os extraterrestres, podiam ser explicados por causas naturais. Mas, de repente, pela via do inconcebível, começo a aceitá-los. Pode ser um efeito da idade: a gente começa a ver os jovens de fora, como um fenômeno estético, e eles se tornam estranhos, ao mesmo tempo que ganham um peso objetivo e uma opacidade que pode ocultar qualquer coisa.

Depois desse fiasco descomunal da Lua, meu embrião de crença se afirma. Posso estendê-la dos superdotados públicos aos privados, e daí à humanidade em geral. Por algum motivo, sempre vivi rodeado de pedantes, sabichões, charlatães, sempre dispostos a me dar lições; meu silêncio rancoroso diante deles preservava minha integridade mental, mas me obrigava a não acreditar em nada do que ouvia. E se a algum deles tivesse ocorrido me explicar as fases da Lua? Eu o teria considerado um mal-educado; e assim começo a entender por que dou tanta importância aos bons modos. Seja como for, certamente eles sabiam. Quem não sabe? E para saber é preciso se remeter a muitos anos atrás, numa vertiginosa perspectiva invertida: a uma juventude vivida na realidade, em toda a sua beleza, a juventude do mundo e do indivíduo. Essas coisas ou se aprendem no tempo devido, ou não se aprendem nunca.

Nesses dois dias vim escrever de manhã no Avenida, mas a garota loira não está. Preciso chamá-la assim porque não sei seu nome; tinha pensado em perguntar, mas não voltei a vê-la. É chato, quando se tem uma vida interior tão ativa como a minha, não saber o nome dos personagens que a povoam; é preciso se virar com perífrases e apelidos, bastantes desrespeitosos. As relações, mesmo as mais casuais, deveriam começar como *Moby Dick*. Eu poderia perguntar, mas prefiro não. Agora quem está atendendo é outra garota loira, que não demonstra interesse nenhum pela minha atividade (ainda bem) e que me parece mais convencional. Não seria de estranhar que a anterior tenha conseguido outro trabalho, ou tenha se mudado, ou casado; quem sabe o dia que nos vimos tenha sido seu último dia em Pringles e ela não me disse, e esse detalhe era a chave de tudo o que me disse. Estou acostumado a que as pessoas com as quais tenho alguma relação desapareçam da minha vida de repente. A vida é mudança e movimento. Eu continuo fixo, fazendo todos os dias a mesma coisa, e os outros circulam numa velocidade que me deixa pasmo.

A Lua participa dessa lógica dos superdotados. A não ser pela intenção ou deliberação, seu jogo de formas tem toda a precisão sutil e engenhosa de um jovem que não perde tempo. Quem inventará o "bloco maravilhoso" da Lua? Toda a realidade é assim.

4

DEVO DIZER QUE AQUI EM PRINGLES está fazendo um frio de rachar. Sopram ventos polares, o Sol é um ponto lívido entre as nuvens, um cinza de gelo cobre os telhados que vejo do quinto andar do desproporcional apartamento da minha mãe. As ruas estão vazias o dia todo, mais vazias que de costume; e de noite é a desolação completa. Esse clima tem algo de inumano; me faz pensar nos grandes espaços entre os astros. Os únicos objetos que os atravessam são carros, rodando lentamente sobre o calçamento azul, cuja suave irregularidade extrai dos pneus um sussurro peculiar, "pringlense", que há quem diga ser capaz de distinguir dos sussurros equivalentes produzidos pelos calçamentos de qualquer outra cidade do mundo. E até os carros parecem sair só pela mais estrita necessidade: fazem seus percursos de sempre, dobram as mesmas esquinas, freiam e aceleram nos mesmos lugares. Estão dotados de memória própria. Depois a rua fica deserta, nem um átomo se mexe.

A não ser pela minha saída diária ao café para escrever, fico lendo no meu quarto, jogado na cama. Leio um livro depois do outro, dois por dia se não forem muito longos, se forem muito ruins (nenhum é), apresso um pouco a leitura nos últimos capítulos, pulo páginas: nunca os deixo inacabados, por uma superstição da qual deveria me livrar. Pego-os na Biblioteca Municipal, que fica aqui do lado, a menos de cem metros; vou logo cedo de manhã, fico um bom tempo remexendo, escolho ao acaso, sem nenhum plano ou propósito, deixando-me levar pela vontade do momento, pelo capricho. Em Pringles, com essa biblioteca inesgotável à minha disposição, leio justamente aqueles livros que nunca tinha pensado em ler, os que não cabem em nenhum dos muitos planos de leitura que estou sempre me impondo.

Ontem li uma novelinha de Wells, *Uma história dos tempos por vir*, lindo título, ainda que eu não saiba qual é o original; não dizem na capa, nem quem foi o tradutor, nem o ano do livro, mas suponho que seja anterior a 1900, da juventude do autor. (Sei que há uma dos anos 30 que se chama *The Shape of Things to Come*, mas não acho que seja esta.) É um voluminho da Biblioteca de La Nación, que inclui também alguns contos, entre eles "O caso Plattner"; foi por esse conto que peguei, porque acreditava lembrar que Borges o mencionara em algum lugar (é bastante sem graça). Essa novelinha "dos tempos por vir" eu li com gosto, embora não valha nada. À medida que lia me dava conta de que o meu interesse fincava os dentes, de um modo bastante pueril, em achar os erros que o autor cometera ao imaginar um futuro de duzentos anos depois; hoje estamos na metade do caminho e já ficou evidente que se enganou em tudo. Na metade dos casos, ele calcula mal, como ao supor que a tecnologia não iria além do fonógrafo ou da lâmpada elétrica, e na outra metade ele erra as direções que o progresso seguiria. Não é um defeito exclusivo de Wells, porque todos os que vieram depois se enganaram tanto ou mais do que ele; e se deleitar com esses erros tem algo de intrigantemente injusto, porque a conclusão inevitável é que, se tentássemos a mesma coisa, nos enganaríamos de novo. Os tempos por vir são muito escorregadios, muito traiçoeiros. Mas nessa interpolação reside a atração principal dessa leitura. Mesmo depois de assimilar e superar o sentimento injustificado de superioridade que produz em nós a comprovação dos seus erros, tendemos a pensar que não nos enganaríamos de um jeito tão flagrante: afinal de contas, tivemos Wells, e todos os outros, para aprender com os seus erros. E no entanto, não. O disparo erraria de novo o alvo, os erros seriam ainda mais grosseiros; nesse tema não há aprendizagem que valha, porque se aprende no tempo, e aqui se trata de tempo. O próprio título está dizendo isso de certo modo: trata-se da "história" dos tempos por vir, ou seja, do futuro na medida em que já está realizado e se torna objeto de um relato. A aprendizagem dos erros alheios jogaria contra, porque a vontade de aprender os tornaria próprios, não alheios.

Wells comete um erro retumbante ao supor que no século 22 as mulheres vão continuar submetidas aos seus maridos, que as jovens solteiras vão continuar usando damas de companhia etc. É fácil quando se trata de acentuar tendências de tipo quantitativo. Wells imagina cidades mais povoadas, veículos mais rápidos, edifícios mais altos. Mas não pensa nem por um segundo que os homens poderiam sair na rua sem chapéu e bengala. Há coisas impensáveis, e não sabemos quais são. Sejam quais forem as condições que conformam nosso pensamento, essas condições existem e, por definição, não dá para pensar fora delas. Isso é o equivalente, na História, da "mudança de assunto" na vida cotidiana.

Um modo perfeitamente fácil e eficaz de mudar de assunto é mudar de livro: depois de ler um, começar outro. Quantos livros li na minha vida? Perdi a conta. Nunca me ocorreu fazer listas ou cálculos, e no entanto percebo que sempre contemplei os livros sob uma luz, seria possível dizer, quantitativa. Deve ser porque, ao se tratar de objetos tangíveis e descontínuos, posso usá-los como a face contabilizável (embora nunca os tenha contado) da mudança de assunto. Numa conversa, ou no transcurso de uma manhã, as voltas do pensamento vão se enlaçando numa corrente fluida e quase indiferenciada, enquanto nos livros começam e terminam e se tornam uma série notória a um simples olhar.

Tenho a teoria, nada original, de que a soma de experiências particulares que vivemos ao longo da nossa existência é o que nos torna únicos e diferentes dos outros. O que nos torna preciosos e insubstituíveis, como quando Nero disse: "Que grande artista o mundo perde". Não sei por que foi tão criticado. Os livros lidos, é claro, também são experiências vividas, e a soma de todos os livros que lemos também nos torna únicos nesse aspecto. Essa "biblioteca" pessoal nunca é igual à de outra pessoa; poderia ser, por um gigantesco acaso, se alguém leu uns poucos livros e se limitou ao convencional; mas a cada livro novo que se lê as probabilidades de coincidência diminuem exponencialmente. Não é o meu caso, porque li muito, em muitos idiomas, de muitas literaturas antigas e modernas. Não poderia pretender que esse fosse o objetivo, mas meu afã de continuar lendo, ao acaso, qualquer coisa, livro após livro, bons e ruins, é como se obedecesse à intenção de me assegurar de que a "cifra" no final da minha experiência de leitor seja absolutamente única e sem igual. Essa qualidade de único, por si só, me tornaria precioso, insubstituível; e me daria algo equivalente aos superpoderes, ao menos a um superpoder muito especializado, a algo que só eu posso fazer e mais ninguém; eu me conformo com isso.

Mas essas razões são bastante absurdas. Se a intenção é adquirir a "cifra" e me tornar único (e que haja um motivo para lamentar minha aniquilação), os milhares de livros estão sobrando. Tudo está sobrando, porque a cifra é a da análise combinatória elementar de quatro ou cinco dados que, já de saída, são suficientes para me tornar único. Basta ser filho de W e de X, ter nascido em Y no dia Z. Claro que essa seria a cifra básica, de muito pouco valor, porque até a última folhinha da grama tem algo de seu. Há outras cifras, que vão sendo adquiridas com trabalho ou com sorte, como condecorações. Todas são particularidades e, enquanto eu continuar vivo, cada segundo de existência vai continuar derramando-as sobre mim, inumeráveis e variadas.

Não é necessário, como poderia fazer pensar a metáfora das condecorações, que sejam elementos virtuosos. De fato, quase sempre o que há de mais notório para individualizar são defeitos, tiques, manias, vícios, pecados. Podem ser ignorâncias curiosas. Quantos escritores ilustres de cinquenta anos podem existir que ignorem as causas das formas da Lua? Mas vendo o lado positivo, é possível pensar que o mau existe com um fim bom, e se não existisse, seria pior. A inexistência de qualquer coisa, até do crime, é um empobrecimento. "Tudo na vida, até a prática da autópsia, acaba produzindo algum efeito" (O. Lamborghini). Na verdade, acho que o mau é mais fecundo do que o bom, porque o bom costuma produzir uma satisfação que imobiliza, enquanto o mau gera uma inquietude com a qual a ação se renova. A ação leva a novos erros, e a espiral da particularidade é disparada ao infinito. Todos aspiramos a ser bons, mas os bons, pelas próprias condições com que são julgados bons, tendem a ser todos iguais, e um exagero nesse sentido levaria a humanidade a ser uma massa indiferenciada e inerte.

A ação, filha da negatividade, faz com que a "cifra" se volte sobre si mesma. Há uma espécie de "devolução da cifra", um pagamento. Na medida em que a gente se torna diferente e único, quer dar testemunho, e nossa civilização inventou a arte para transportar idealmente esse testemunho. Os artistas são gente bastante extravagante, mas eu diria que não é a arte que os tornou estranhos, e sim que a estranheza os levou à arte. Ou quem sabe um efeito recíproco. Seja como for, essa dialética de cifra passiva e cifra ativa resolveria as aporias tão intrigantes de Vida e Obra. Buscar o novo e o estranho na obra artística não é a tarefa frívola e vaidosa que parece ser, em primeiro lugar porque não se trata de buscar, mas de ter encontrado.

Pois bem, as coisas nem sempre saem como a gente se propõe; caso contrário, tudo seriam obras-primas, ou os artistas seriam sempre jovens. Para demonstrá-lo, bastaria comparar as duas imagens da minha cifra pessoal: quem eu gostaria de ser, e quem eu sou.

5

UM DOS MEUS ANSEIOS INSATISFEITOS é o do me vestir à perfeição. Nunca consegui, nem cheguei perto. Sempre andei desajeitado, desconfortável, sem elegância; agasalhado no verão, tremendo no inverno.

É uma das tantas coisas que adiei para quando for rico; e não que eu espere chegar a ser, muito pelo contrário.

Tudo o que eu disse antes sobre a cifra parte do erro de postular uma figura estática, sem levar em consideração o movimento da História. A cifra é fluida e não se fixa nunca. Daí que nunca possa ser capitalizada; em outras palavras, não serve para nada, a não ser como simulacro. Na verdade, nada serve para nada. É possível ler milhares de livros e continuar sendo um ignorante, como demonstrei a mim mesmo de modo cabal com a Lua. Para evitar esse humilhante buraco no meu pensamento teria que ter lido, além de todos os outros, esse livro particular sobre as formas visíveis do nosso poético satélite. Não sei se existe (acho que não). Esse tipo de livros específicos e muito particulares que nos seriam tão úteis justificam a fábula da análise combinatória do macaco teclando ao acaso, infinitamente, uma máquina de escrever. É um livro "possível", como todos os outros, mas pedi-lo ao acaso estica tanto a corda do provável que só poderia dar num plano de infinitos conjugados. Sem contar que, para que eu o entendesse, teria que trazer diagramas.

Quando se fala de astronomia sempre aparece alguma referência aos primitivos. Em outras disciplinas também, mas com a astronomia se encarniçam. Se as levássemos a sério, teríamos que acreditar que os primitivos tiveram as ideias mais ridículas sobre o movimento dos astros em particular e sobre a natureza em geral. A maior de todas: acreditar que quando o Sol se punha de tarde nunca mais voltaria. Eu sustento, com uma convicção que vem lá do fundo, que isso é falso: não há primitivos, não há selvagens ou, em todo caso, se queremos dar esse nome a civilizações diferentes da nossa, não temos nenhum direito de supor a eles menos inteligência do que a que outorgamos a nós mesmos. Estúpidos, crédulos, ignorantes sempre houve, e não faltam entre nós. Mas uma cultura, mesmo que seja a de uns índios nus na selva, tem e sempre teve todo o saber que teve e terá qualquer outra. Nisso sou irredutível e militante. Acho que o erro, alentado por um racismo latente nos bem-intencionados mais escrupulosos, provém de um erro de tradução ou, mais precisamente, de uma tradução pela metade, que na verdade não é uma tradução. Suponhamos que uma nação qualquer observa que a recorrência das formas da Lua serve para medir um determinado intervalo de tempo (o que nós chamamos "mês"), e que dá um nome a esse intervalo, num razoável gesto de economia linguística, pela mesma palavra que usa para nomear a Lua (nós também fazemos coisas assim). Pois bem, se alguém traduz um discurso dessa língua, será infalível que coloque "Faz cinco Luas..." onde alguém na verdade disse "Faz cinco meses". Ninguém para pra pensar que um mesmo significante é usado para dois significados diferentes, e que a identidade tem uma explicação só etimológica ou genealógica. E assim é como os índios dos etnólogos, e depois os dos romances e os do cinema, que aparecem dizendo "Faz cinco Luas que não chover..." (porque já que estão a fim de fazer com que pareçam idiotas, fazem com que falem no infinitivo também).

Esse exemplo, além de não ser um exemplo, é um exemplo muito simplificado, mas dá uma ideia do que eu quero dizer. Uma tradução bem feita é uma tradução completa. Na sua língua, o índio diz: "Faz cinco meses que não chove", exatamente como nós diríamos. E quando falam de astronomia, de medicina, de amor ou do que quer que seja, fazem como nós fazemos, só que fazem no seu idioma, como nós fazemos no nosso. Qualquer outra coisa é um erro, por mais gratificante que seja para nosso desejo de vê-los do alto da nossa superioridade. Embora não expresse exatamente minha ideia, seria possível falar de um "conceito ampliado da tradução".

Na mesma linha, e com o mesmo racismo implícito, recorre-se à "crença". Aos primitivos de toda espécie sempre estão se atribuindo as crenças mais absurdas: que uma grande serpente bebeu um rio, que as almas dos mortos viajam num barco, seja o que for. É mais ou menos como dizer que nós "acreditamos" nas nossas piadas. Aqui também é possível dizer que por toda parte há pessoas estúpidas e ignorantes, mas a questão é mais complexa. "Acreditar" é um modo simplificado de dizer que se aceitam certos mecanismos de significação, sem os quais a sociedade não poderia continuar funcionando. Uma listinha de tudo o que nós acreditamos, sem traduzir, também nos faria parecer estúpidos.

Se eu tiver que escolher meu intervalo de tempo favorito, o que me parece mais prático e o que eu uso para me organizar, é a semana. Hoje é meu último dia em Pringles, uma quinta-feira. Eu vim na quinta passada, hoje vou embora. Como todos os dias desta semana de visita, vim ao café para escrever. A garota loira não está, como não esteve todos esses dias. Estava na quinta passada, no primeiro dia em que eu vim, depois não a vi mais. Como me disse que não morava aqui, num primeiro momento pensei que vinha às quintas e ficava no final de semana, que é quando este café mais deve trabalhar. Ao não vê-la na sexta, mudei de hipótese, e supus que seu período de trabalho iria de segunda a quinta... Mas também não era assim. Quem sabe não trabalhe mais aqui. Quem sabe trabalhe certos dias do mês, e meus raciocínios semanais não são pertinentes. Há mil possibilidades. A vida dos desconhecidos tem regras próprias, sempre diferentes, e quem quer deduzi-las a partir de um encontro casual se perde num oceano de conjecturas. É difícil pensar que nós mesmos...

eu mesmo, que sou o ser mais rotineiro e mais previsível, na medida em que sou desconhecido para outros, também posso aparecer e desaparecer segundo um acaso aparente. Por exemplo, nesta noite vou embora de Pringles, e não voltarei por vários meses.

Quanto ignoramos! Antes de vir para Pringles, certamente por causa das reflexões que me suscitou a questão da Lua, embora sem relacioná-la de modo consciente, comecei a pensar nessas coisas que acreditava saber e na verdade não sabia; me ocorreu, não sei por que associação de ideias, que talvez pudesse sabê-las. Deixei vir à superfície da minha mente alguns modestos enigmas clássicos, ao acaso, sem escolher. O primeiro foi este: se um círculo gira, é verdade que o ponto central se mantém imóvel? O impulso imediato, e irreversível, é dizer: claro!, parece uma ideia natural. Deveria ser ao contrário; deveria parecer mais natural que o ponto central, como um círculo em miniatura, girasse também. Mas não sei qual aberração cultural interveio e se tornou uma espécie de reflexo condicionado dizer que o ponto central está imóvel, e é inclusive como se isso garantisse o movimento do resto do círculo.

Passei vários dias pensando nisso. Pouco a pouco fui dando uma virada espiritual na direção do inconcebível. Eu podia imaginar que um prego fosse colocado no centro de um círculo: o prego se manteria imóvel e o círculo giraria ao redor. Mas, nesse caso, o suposto ponto é externo ao círculo, e isso não tem nada a ver com a questão. Afinal, perguntei ao Tomasito, com certa cautela, porque meu filho é bastante resmungão.

"Claro!", me respondeu. "O ponto central não gira."

"Mas você não acha que esse ponto, por menor que seja, é a seu modo um pequeno círculo, que tem que girar necessariamente junto com o resto?"

"Isso seria se fosse um ponto físico. Mas estamos falando de um ponto matemático."

A partir daí não quis continuar discutindo. Muito bem. Não era minha intenção martirizá-lo.

Um ponto matemático? O que é isso? Se é uma construção mental, para que postulá-la? Para que sobrecarregar a realidade, que já é bastante complicada, com ficções pedantes? A única função que me ocorria para esse ponto fixo era o de manter o círculo no seu lugar. E quem foi que disse que o círculo devia ser mantido no seu lugar? Além disso, embora se mantenha no seu lugar sobre uma mesa, ainda assim continua se mexendo, porque a Terra gira etc. Inclusive seria possível propor a teoria de que todos os círculos sempre estão imóveis e, quando parece que giram, na realidade é o mundo que dá voltas em torno deles.

Nesta mesma noite, na minha caminhada cotidiana, cheguei a uma conclusão definitiva: não há haste imóvel no centro, porque se houvesse, travaria o círculo e não o deixaria girar. Dali ninguém me tirava. Eu o via com tal clareza. Já sei que deve ser um erro ridículo, mas é um erro com o qual posso viver e morrer.

Como a gente muda! Antes eu desprezava aqueles que faziam essa espécie de raciocínio, do tipo "Robinson Crusoé". Eu achava a quintessência da ignorância, a marca de pessoas teimosas e autocomplacentes, que agem como se os livros não existissem e o saber começasse e terminasse nos seus cérebros parvos. Na minha fase mais extremista, cheguei a considerar obscurantista o simples fato de pensar por si próprio. Na realidade, continuo opinando a mesma coisa: o saber está nos livros, não no que se possa elucubrar. Aqueles que pensam merecem seus erros. E, no entanto, agora me surpreendo fazendo este patético artesanato intelectual...

Enfim. Esta noite vou embora. Já é hora. Minhas semanas pringlenses são inflexíveis; ou não tanto, porque consistem numa semana e um dia. A perspectiva da longa noite de viagem sentado na minha poltrona do La Estrella me deixa um pouco alterado. Principalmente a viagem de volta a Buenos Aires, sem dormir um minuto. Há uma remota possibilidade de que pegue no sono, mas estou resignado de antemão à vigília.

Fiz dezenas de viagens nestes últimos anos, e teria sido necessário alguém ainda mais distraído do que eu para não perceber que durmo na viagem de ida, Buenos Aires-Pringles, e não durmo na de volta. Eu poderia ter feito milhares de viagens sem perceber, se não fosse algo tão importante para mim (essa noite acordado é uma verdadeira tortura, e fico num estado deplorável no dia seguinte) e, sobretudo, se ao chegar, num lugar ou no outro, não me perguntassem: conseguiu dormir? Foi sobretudo essa cortesia que me fez notar isso, e desde então comecei a prestar atenção nas circunstâncias ocasionais dessa alternância, para ver a qual podia atribuir o sono ou a insônia: jantar, roupa, assento, postura... Não desdenhei sequer das respectivas expectativas, as psicologias opostas da ida e do retorno. Mas é inútil: aí não aparecem as causas. Só resta a direção, norte-sul na ida, sul-norte no retorno. De modo que deveria dar razão a alguma dessas charlatanices contra as quais milito: o feng shui, os polos magnéticos, algo assim. Meu ceticismo recebeu tantos golpes que mais um poderia derrubá-lo. No entanto, por enquanto ele resiste.

"Pringles, a cidade dos táxis perfumados." Quando chego, ao amanhecer, e abro a porta de um dos táxis que esperam diante da rodoviária, o perfume me enjoa, me intoxica. Os taxistas da cidade, que são uma confraria muito organizada, usam desodorizante de ambiente nos seus veículos, de aromas diferentes, e a emulação ou o hábito os leva a extremos. De alguma forma, é compreensível. Esses taxistas são ex-chacareiros, expulsos do campo pelo processo de concentração econômica e pela extinção da pequena empresa rural, que investiram o produto da venda de suas terras nesses carrinhos europeus ou japoneses bonitinhos, usando-os como táxis e cuidando deles como a menina dos seus olhos. Seus corpaços de lavradores atrás do volante, suas mãozonas como garras sobre os botões dos painéis eletrônicos têm uma delicadeza e uma precisão milagrosas. Não que tenham tido que mudar muito seus hábitos; continuam levantando antes do amanhecer para buscar os viajantes na rodoviária e, no serviço obsequioso ao cliente, eles, que eram os soberbos senhores da solidão do pampa, põem as flores da adaptação. Os carros brilham por fora e por dentro. O perfume deve lhes parecer uma suprema elegância, e uma elegância necessária.

Pringles é tão desolada, sobretudo no inverno, que parece abstrata. Se eu tivesse tempo, e vontade, faria uma revisão de todos os sistemas filosóficos, de Platão a Nietzsche, aplicando a eles o absoluto de Pringles para desmenti-los ou confirmá-los. "A essência precede a existência", sim, muito bem, em todos os lugares, menos em Pringles, onde a existência precede a essência ou as duas caminham juntas. "Ser é ser percebido": é verdade, foi possível observar em Pringles. Etc.

6

COMO QUALQUER UM DOS MEUS contemporâneos, eu poderia morrer a qualquer momento. Hoje, amanhã, ontem. Um acidente, uma doença que na minha idade não chamaria tanto a atenção... É uma loteria, mas, por sorte, parece tão difícil ganhar (neste caso: perder) como na loteria de verdade. Da minha parte, se acontecesse, sentiria isso antes de mais nada como uma injustiça, quase como um erro. Como é que vou morrer, se ainda não vivi? Quem tem fé se consola com a ideia da "outra vida", a vida feliz dos bem-aventurados; é algo que se aplica em especial aos que morrem jovens; a garota do Avenida naturalmente adotou essa perspectiva para o seu irmão. Para mim seria muito mais difícil porque acho que o próprio conceito de "outra" vida pressupõe o de "uma" vida. Se não se viveu uma vida, qual o sentido de começar outra? Seria possível dizer que todo mundo tem uma vida, mesmo que seja breve. Com o mesmo critério, é possível lamentar mais a morte de uma criança de cinco anos do que a de um velho de noventa. É um sentimentalismo convencional. Quem lamenta são sempre os outros, para os quais, no fundo, nada importa, ao menos se comparado ao que lhes importaria a própria morte. Para nós mesmos podermos lamentar, é preciso estar vivo, e então quase sempre a gente está esperando começar a viver.

De certo modo, não é necessário ter fé para acreditar na outra vida, porque as duas vidas estão sobrepostas e entremeadas no presente. "Quem espera se desespera"; eu diria melhor "Quem espera se engana": o que se espera já começou, às vezes já terminou. Essa é a condição do presente.

Ontem à noite antes de dormir estava tentando esclarecer a questão do Juízo Final. Segundo a versão simplificada que emprego da escatologia cristã, os mortos têm que esperar o Juízo Final para serem julgados e receberem seu destino definitivo na outra vida. A gente morre e um vazio se produz, um nada, até acordarmos no Juízo Final. São os vivos, quer dizer, os sobreviventes, que podem imaginar que os mortos vão direto para o Céu ou para o Inferno, mas do ponto de vista dos mortos não pode ser assim, porque então haveria dois tempos simultâneos, um que seria a Eternidade, e esta não pode correr paralelamente ao tempo. De modo que é preciso esperar o fim do tempo, o Juízo Final; todo o resto (a simultaneidade, Dante, o regresso dos mortos-vivos, o espiritismo etc.) cai no campo da ficção. Além disso, não é possível fazer um julgamento definitivo de alguém no momento em que essa pessoa morre, porque depois da morte continua agindo, pela ressonância dos seus feitos ou das suas obras ou simplesmente pelo peso grande ou pequeno que sua existência teve no sistema do mundo, e portanto continua acumulando méritos ou faltas. A lógica quer que essa ação se prolongue tanto quanto o tempo, de modo que é inevitável esperar até o fim dele para fazer um balanço justo.

Mas esse salto da morte ao Juízo Final apresenta seus problemas. Ontem à noite não consegui dormir por causa da confusão que fiz com os cálculos; fiquei tentado a levantar e fazer um diagrama para ver se o esclarecia. Quem sabe agora eu consiga.

Suponhamos que alguém morra no dia 5 de julho de 1932 às dez e dez da manhã; a partir daí, um vazio, até o dia do Juízo Final, seja quando for. Pois bem, para esse indivíduo, extinguida sua consciência com a morte, esse vazio, mesmo que seja de dez mil séculos, tem que ser um instante. Se fosse postulado um intervalo, como uma espécie de sala de espera escura, isso já seria mais "outra vida", uma terceira vida, o que parece um pouco excessivo. Que eu saiba, ninguém nunca falou de uma terceira vida intercalada. Já ouvi mencionarem um "Limbo", mas não acho que os teólogos sérios o aceitem; deve ser uma ficção para fazer uma média, para adaptar de algum modo ao dogma a ideia do julgamento imediato e do Céu e Inferno instantâneos. Uma ficção perigosa, porque poderia se prestar a especulações por parte dos malvados a respeito da sua duração.

Muito bem, um instante. Fecham-se os olhos, ou alguém os fecha para nós, e os abre de imediato e novamente no dia e na hora da consumação do tempo. Ou seja, para esse homem o Juízo Final acontece no dia 5 de julho de 1932 às dez e dez da manhã.

Mas um minuto depois ocorreu outro óbito (digo um minuto como poderia dizer meio minuto ou dois segundos: depende da taxa de mortalidade, que além disso deve variar), e um minuto antes havia ocorrido outro, e assim sucessivamente, para a frente e para trás, ao longo de toda a História. Com cada um aconteceu a mesma coisa, quer dizer, houve o mesmo salto, que visto de fora durou menos ou mais, mas de dentro durou a mesma coisa, ou seja, nada.

Aí reside a dificuldade de conceber essa imagem. Há um conjunto múltiplo (os seres humanos), cujas mortes vão pontuando toda a escala do tempo, e em cada um desses pontos está o fim da escala. O fim do tempo é contíguo a cada um desses momentos.

Como disse, não é necessário ser cristão, ou acreditar nisso ou naquilo, para que essas coisas aconteçam. É possível generalizá-las a todos os fatos que impliquem o individual e o coletivo. A ponte entre os dois registros é feita de interrupções e saltos. Basta pensar nas pessoas que dormem e nas que acordam no planeta. Aí há milhões de minúsculos Juízos Finais se escalonando numa grande imagem complicada. E nem sequer é preciso pensar numa interrupção da consciência, porque toda espera cumpre a mesma função. Enquanto uns esperam que as coisas aconteçam, outros vivem, e depois trocam de papéis, e dessa alternância o tempo se reduz, nos fatos.

7

NA FÁBULA DO JUÍZO FINAL, todos dormem separados e acordam juntos. O grande acontecimento é um *terminus ad quem* a partir do qual se aprecia um inumerável escalonamento individual; uma vez reunidos nesse nó, revelam-se indivíduos, e pagam por isso. Mas esse acontecimento é único, irrepetível, e extremamente postergado; de fato, a postergação como acontecimento subsidiário se define pelo Juízo Final, modelo de toda espera.

Esse modelo é reproduzido em pequena escala em toda vida individual. Ou melhor: como o Juízo Final na realidade é uma ficção, ele existe para prover um modelo para a nossa manipulação cotidiana do tempo, e torná-la inteligível.

Na vida real, dormimos separados ("Bem-aventurados os que têm sono, porque dormirão antes", Nietzsche) e acordamos também separados; é aí que está a armadilha: acordamos separados, segundo nosso ritmo ou necessidade ou capricho... mas acordamos para a realidade, que é um grande acontecimento coletivo do qual todo mundo participa.

Eu não me refiro só ao sono propriamente dito, mas a todo tipo de ausência, como voltar de umas férias na praia ou sair da prisão, e mais ainda a todas as distrações ou estados de concentração intensa ou cegueiras parciais... E nessas categorias entra quase tudo, a vida está cercada delas.

Sempre estamos voltando. E enquanto estivemos fora, coisas aconteceram. Acordamos para constatar seus efeitos, como aconteceu com Rip van Winkle.

Pois bem, justamente: eu me sinto como Rip van Winkle. É a isso que eu queria chegar. Hoje, 5 de julho de 1999, eu acordo e retomo o fio dos meus pensamentos onde os deixei trinta anos atrás. Isso parece uma metáfora, e talvez seja, mas também é preciso compreendê-lo literalmente. A gente se dá conta de que não tem vinte anos, de repente, percebe que não é mais jovem... e enquanto isso o mundo mudou; enquanto a gente estava pensando em outra coisa. O encadeamento das minhas ideias se interrompeu; agora me custa retomar, porque minhas ideias não correspondem a mais nada objetivo, quer dizer, não são ideias. Eu gostaria de ser completamente sincero nesse assunto, mas a verdade é que não sei mais se penso ou desvario. Suponho que acontece sempre nesses casos: o coletivo, a política do mundo, é o que há de mais difícil de pensar, porque tem faces demais. De qualquer modo, uma das ideias que entraram na minha cabeça na minha juventude foi a da falta de dignidade do trabalho na sociedade capitalista. Agora não sei como aplicá-la, porque o clamor popular não pede nada além de trabalho, e as boas consciências, a cujas fileiras eu tinha acreditado pertencer, o coloca nas nuvens, como uma panaceia. Tinham me convencido de que os subordinados não teriam nada para perder além das suas correntes, e agora parece que as exigem com desespero.

Isso não significa necessariamente que o mundo esteja de cabeça para baixo, mas antes que deu um passo atrás dentro da mesma situação. Significa que nós, burgueses, efetuamos uma hábil manobra, e conseguimos um triunfo com o qual fazemos o tempo retroceder, nos dando um século ou dois de vantagem para elucubrar novas manobras e obter novos triunfos.

Toda aquela conversa da Revolução que tanto nos ocupou se baseava, embora ninguém dissesse, no requisito de que passassem cem ou duzentos anos. No fundo, a gente sabia. As contradições não podiam se resolver in situ, com nós mesmos. Estávamos trabalhando para o futuro, não para o presente. O presente caía num buraco.

Quando a gente se comprometia com a Revolução renunciava à sua autonomia cronológica e ficava à mercê de intervalos que não dominava, precipitando-se num abismo de tempo.

Sua própria morte pessoal se tornava garantia de toda a manobra, porque sua morte era o requisito da extinção da sua classe, da sua espécie e do seu mundo.

O motivo da minha perplexidade é que esses resultados que estão à mostra foram obtidos em poucas décadas, dentro de uma mesma geração, e os atores são os mesmos, só que onde antes diziam branco agora dizem preto. É um mundo diferente, um mundo de cabeça para baixo, mas com os mesmos personagens; enquanto eu estava ausente (onde?), eles continuaram vivendo o tempo todo.

Continuam sendo meus contemporâneos. A humanidade continua sendo minha exata contemporânea. Mas os outros pensam exatamente ao contrário da época em que os deixei, há trinta anos ou meia hora, e não demonstram nenhum assombro pela mudança, sequer percebem que houve alguma mudança. Demonstram uma perfeita naturalidade, uma mágica adaptação ao mundo. E não me escapa que o que torna o pensamento eficaz é isso: a naturalidade, a espontaneidade. Que não seja necessário pensar nele: que aconteça assim, porque sim, pelo império das circunstâncias, como a chuva.

A transvaloração do trabalho é uma das muitas coisas que me assombra. Outra é a desmaquiavelização da política do Estado. Subitamente, o Estado começou a ser julgado por um cânone de virtudes privadas, sendo a primeira e principal a honestidade. A mesma honestidade que está em perigo nos proletários despojados de trabalho. As virtudes públicas (a *virtú*) se dissolveram. Suponho que isso se deva a que agora os assuntos públicos são decididos pelas corporações, e ao Estado só resta a função de dar um modelo de perfeição ética, como a corte imperial chinesa. Enfim, não vale a pena dar exemplos, porque não são exemplos, mas coisas que aconteceram. "Se não acreditam em mim, vão lá ver" (Lautréamont).

Se fossem exemplos, não seriam mais necessários. Outro dia li no jornal que num país da África, acho que o Sudão, subsiste a escravidão e os proletários em idade para trabalhar se vendem por cinquenta dólares. Um grupo humanitário suíço juntou dinheiro e "comprou" dois mil escravos, dando-lhes a liberdade. Não custou muito caro (cem mil dólares) e ficaram bem na fita; havia uma foto, dos negros, sentados no chão, com ar desconcertado e não muito feliz. A situação tem certa similitude com a nossa de hoje em dia. "Escravidão" é uma palavra; ao que parece é uma instituição ancestral nesse país. Não é difícil lembrar que é uma espécie de contrato pelo qual alguém vende seu trabalho em troca de hospedagem e comida, quem sabe roupa e algum outro benefício. É tão diferente do que pedem nossos desocupados? Se esse contrato africano inclui alguma restrição de movimento ou mudança de emprego, tem seu equivalente nas restrições também incluídas nos nossos contratos de trabalho civilizados, ou são compensadas pela estabilidade. Ou talvez não tenham nenhuma importância, se a alternativa é morrer de fome.

Suponhamos que um grupo humanitário suíço fica sabendo que os proletários argentinos trabalham doze ou catorze horas diárias por um salário que não chega a cobrir as necessidades básicas, em condições que a eles parecem infra-humanas etc. Do seu ponto de vista suíço, podem muito bem chamar isso de "escravidão" e, justamente, escandalizados, juntam dinheiro, "compram" os contratos de trabalho de dois mil, ou vinte mil argentinos explorados, e lhes devolvem sua "liberdade". Lá em Zurique, ou na Basileia, ignoram que esses argentinos passaram anos fazendo manifestações e paralisando estradas para exigir "trabalho"...

A moral da história é que cada cultura continua definindo suas palavras de forma autônoma, como antes da globalização. E querer impor uma definição aos outros, mesmo com as melhores intenções, pode ser catastrófico.

É claro que eu não passei esses trinta anos cochilando; passei escrevendo minhas novelinhas e preparando minha Enciclopédia. Que, apesar de ter lido muito o jornal todos os dias, não significa nada, evidentemente. Se escrevi, foi para dissolver a qualidade de exemplo dessas "impressões de África", para historicizá-las e articular nelas os dois aspectos contraditórios do mundo: a identidade e a diferença. Escrevendo, consegui continuar vivo até agora, ou seja, que o mundo continuasse sendo o mesmo; o preço que tive que pagar foi que ficasse de cabeça para baixo.

É verdade que seria possível me recriminar por eu não ter empregado meus privilégios de intelectual burguês em algo mais construtivo. Nem que fosse construtivo-individual, como me tornar culto e inteligente ou, em todo caso, ter escrito livros bons de verdade. Mas para que serve escrever bons livros ou se cultivar ou descobrir verdades novas? Contribuir para a construção e acúmulo do saber é colaborar com o poder, já que o poder recuperará inevitavelmente esse saber para usá-lo para seus próprios fins, de dominação e subjugação. O que fazer então? Manter em segredo esse saber? Usá-lo antes com fins revolucionários? (Mas nesse campo não é fácil decidir o que vem antes e o que vem depois.) Preventivamente, me mantive na mais completa estupidez.

Por outro lado, nunca acreditei que valesse a pena saber nada. Nunca pensei que valesse a pena, em termos práticos.

Sempre deixei passar a informação pela minha cabeça como água passando por uma mangueira. Afinal, eu sabia onde os dados estavam, e podia ir buscá-los quando precisasse deles, se é que chegaria a precisar deles algum dia, e sinceramente nunca acreditei que esse momento fosse chegar. Essa foi toda a importância prática que concedi ao meu passatempo favorito, a leitura: me ensinar como encontrar os dados no caso remoto de que a vida me fizesse precisar deles, que por isso mesmo se tornava o mais improvável dos acasos.

O que me interessava era outra coisa, algo mais estético: o formato da informação, e como fazê-lo. Isso foi grudando em mim, sem que a memória entrasse em jogo. Toda a minha atenção se concentrava ali, e não sobrava nada para o resto. Não sei se a minha memória se atrofiou por falta de uso ou se nunca a tive, o certo é que minha mente se manteve virgem de conteúdos. Isso explica minha nulidade nas conversas: não tenho nada a dizer, me desacostumei dos conteúdos.

8

ANTES EU ESCREVIA MEUS ROMANCES com o único propósito de que saíssem direito: que fossem bons, melhores do que outros etc. Os motivos para fazer isso são psicológicos, quer dizer, entram num vago e abarrotado saco de gatos onde basta escolher, à vontade, entre a ambição, a adaptação, o complexo de inferioridade, a megalomania, a compensação... Tem para todos os gostos; para qualquer uma das possibilidades seria possível encontrar um bom argumento, eu mesmo faço isso nas minhas meditações. A única certeza é que escrevia para escrever bem, o que me faria ser um bom escritor, que era a única coisa que me importava. Em contraste com a variedade inumerável de sobredeterminações que até a menor iniciativa na vida de um indivíduo tem, isso em mim tinha um quê de ideia fixa. E não é que fosse só "em mim"; deve ser uma coisa bastante comum, embora eu não saiba se é possível generalizar. A gente quer fazer direito, e sacrifica todos os outros objetivos por isso; obscuramente, a gente sabe que se conseguir isso, todo o resto se dará por acréscimo. Há sempre desculpas para um bom escritor; para o ruim, nenhuma serve.

Pois bem, ao chegar a certo ponto, com uns vinte livros publicados, foi necessário que eu começasse a pensar seriamente. Não é possível continuar aprendendo para sempre, digam o que disserem. Quer dizer, é verdade que se continua aprendendo, mas também vão se solidificando os hábitos viciosos, e o mau compensa o bom. As esperanças começam a ficar fora de lugar: a esperança sempre tem por objeto genuíno o novo; até quem quer voltar para o passado tem em vista um passado novo. Na literatura, principalmente, o bom se identifica com o novo; acho que nos meus momentos mais lúcidos eu não queria tanto escrever algo bom e sim escrever algo novo, alguma coisa que nunca tivesse sido escrita antes. E o novo está sujeito à lei dos rendimentos decrescentes, que eu venero. O que não saiu na primeira tentativa é cada vez mais difícil que saia.

Além disso, passado o feliz atordoamento da primeira juventude, quando as coisas, se precisam ser feitas, são feitas apesar das pretensões do ator, persistir na busca do bom é contraproducente. Sempre aderi a uma ideia de Alta Cultura, *High Brow*, Arte com maiúsculas. E a arte não tem que ser bem feita. Caso se queira fazê-la bem feita, é artesanato, algo para ser vendido e, por isso, sujeito ao gosto do comprador, que, é claro, vai querer alguma coisa boa. A arte cria seu próprio paradigma; não é "boa" de acordo com padrões preexistentes, mas o que vier depois (o artesanato que vier depois) será julgado de acordo com ele. Essa é a criação, que se diferencia da produção.

Então (isso aconteceu há cinco ou seis anos), iniciei um processo, tipicamente defensivo, de me afastar dos meus velhos hábitos juvenis. Comecei a deslocar o foco de atenção para um projeto totalizador do qual meus trabalhos literários seriam a preparação, o anúncio, o anzol. Comecei a ver as novelinhas, que continuei escrevendo, meio por inércia e meio para aperfeiçoar o álibi, como documentação marginal e, na medida em que continuava a escrevê-las, como um modo de entender minha vida. A vida do autor da Enciclopédia.

Porque esse é o nome-chave do magno projeto: a Enciclopédia. E, também, é isso, uma espécie de enciclopédia geral que contenha tudo. O objetivo de toda uma vida é chegar a saber tudo. O registro final é a Enciclopédia.

Tenho uma pasta grossa, cheia de notas preparatórias, nas quais trabalho de modo intermitente. Já as premissas totalizadoras indicam que é uma dessas tarefas infinitas que não importa quando serão finalizadas, porque na verdade não podem ser finalizadas. É ideal para mim. Nela descanso. Passei a vida com pressa para terminar meus trabalhos, para poder morrer em paz; a Enciclopédia incorpora minha morte como "glorioso fracasso", posso escrever relaxado, sem esquentar a cabeça.

A primeira originalidade da minha Enciclopédia é que será a obra de um homem só. A segunda, que não se limitará ao geral, mas avançará sobre o particular; todas as enciclopédias fazem isso, uma vez que incluem dados históricos; a minha, além do mais, tomará cada caso geral como particular, porque uma generalidade sempre é uma construção histórica, e portanto também é um dado histórico, localizado e fechado. A terceira é um complicado jogo de equivalências segundo o qual em cada complexo cultural histórico estão todos os outros, sob formas diferentes, mas reconstruindo sempre o mesmo sistema de funções. Desse modo, cada particularidade pode subsistir sem o apoio da generalização. Pronto. Não tenho tanta urgência de me explicar aqui porque tudo está nas notas da pasta grossa. Não é dessas coisas que vão me obrigar a colocar nas margens: "Não tenho tempo!"; isso já dei por certo desde o início.

É claro que o que tenho nessa pasta são os esboços, os planos e programas, a teoria da Enciclopédia, de cujo texto não escrevi nenhuma página sequer. A essa altura, eu já não saberia por onde começar. Quanto mais avanço nos prolegômenos epistemológicos, mais longe (mais atrás) fica o começo. O gênero "notas preparatórias" tem sua própria estética, seu próprio acabamento, e fui me tornando mais sensível ao seu apelo nas minhas releituras das notas de Mallarmé para seu *Livre*, ou das de Duchamp para seu Grande Vidro, ou das de Novalis para sua Enciclopédia... Dadas as premissas do meu projeto, o único particular sobre o qual eu poderia começar a escrever sou eu mesmo. O ponto onde se particulariza o particular, onde se historiciza o histórico, sou eu. A soma do saber reverte para o indivíduo, no seu caráter de autor da Enciclopédia.

Esse assunto das particularidades no fundo é muito literário; num romance ou num poema não se trata de revestir de generalidade os particulares (nem mesmo Lukács pretendia isso com sua teoria dos "tipos"), mas de tornar absoluta a particularidade, de modo que o absoluto faça as vezes do geral. Aí há algo de impossível, de insolúvel, e torna-se necessário buscar formas novas para pôr o preto no branco. Essas formas são o que tenho buscado, na verdade sem me propor, nas minhas novelinhas, e se as penso assim, não me deprime tanto tê-las escrito. Vejamos se consigo me fazer entender: não se trata de colocar Napoleão sob a luz das leis científicas, mas, antes, de considerá-lo como na velha piada do guia do museu que mostra aos visitantes uma caveira numa vitrine: "Esta é a caveira de Napoleão" e, depois, em outra vitrine onde está uma caveira pequenininha: "E esta é a caveira de Napoleão quando era criança". Essa piada é velha demais, concordo, e no entanto é concebível que tenha sido nova; a própria definição de piada tem que fazer alguma referência à invenção formal, que por sua vez é nova por natureza. Tudo que é novo se torna velho, essa é uma lei inelutável. Mas, justamente, trata-se de superar as leis com validade universal. O novo fica preservado no velho, como a caveira de Napoleão criança na de Napoleão adulto. A piadinha, na sua modéstia de pequena obra de arte ao alcance de todos, conserva sua novidade risonha mesmo dentro do tédio das repetições, como algo concebível. Também é concebível que cada fato particular do universo seja objeto de uma invenção formal, colorida, surpreendente, divertida, imprevisível, como uma borboleta com desenhos estranhos esvoaçando num jardim. Nesse sentido, a minha será uma enciclopédia recreativa.

Tudo isso funciona bem para alguém que tem uma eternidade de tempo livre (sobretudo de tarde) para sentar nos cafés e brincar de filósofo, sonhando acordado com o material provido por suas leituras e enchendo cadernetas com notas ociosas sobre isso e aquilo. Passatempo, autoengano, álibi, em partes iguais. Álibi, porque me permite justificar meus injustificáveis romances como aproximações provisórias a uma Grande Obra projetada na direção de um para além do tempo. Mas acontece que eu também, como todo mundo, tenho meus momentos de sinceridade comigo mesmo. Involuntários, mas tenho, como aconteceu com essa condenada história da Lua.

Muito bem, então: não sei nada. Pior: não sei alguma coisa. "Só sei que nada sei." E nem mesmo sei como uma convicção, mas fico sabendo acidentalmente, aos tropeções. Não gostaria de cair na psicologia, mas mesmo sem ela é evidente que a famosa totalidade está esburacada. Eu estou esburacado e, nessa pequena treva branca, encontro a realidade do mistério, que é também minha pedra de Roseta. Se eu conseguisse traduzir o que não sei para o que sei, poderia entender por que vivi. Tal como as coisas estão, vejo tudo como uma ilusão, um simulacro feito de palavras. Mesmo que chegasse a saber, a novidade da minha ignorância continuaria vigente. Eu me inclino sobre essa fonte insondável, novo Narciso, e uma tristeza desconhecida me invade. Acho que, pela primeira vez, me sinto parte da humanidade, agora que finalmente tenho um motivo para me sentir diferente.

Um fato particular nunca deveria ser "exemplo" de algo geral. Todo mundo aceita que o "exemplo" é a dobradiça natural entre o particular e o geral. Sem necessidade de ir ao conceito, dado por certo, prolifera na prática do discurso. A gente sempre está se explicando mediante exemplos, é quase inevitável, e acaba pensando que todo particular é exemplo de outra coisa, que é o que se deve conhecer. De fato, "exemplo" e "caso particular" funcionam como sinônimos. O exemplo, que originalmente é um dispositivo retórico, de tipo persuasivo, se torna uma concepção do mundo e, a meu ver, desvaloriza a qualidade real da realidade. Minha Enciclopédia, se eu a escrevesse, seria o campo de batalha central da guerra contra essa lógica aberrante do exemplo.

Acho que as *Investigações filosóficas* de Wittgenstein, com todo o seu mérito, ficam invalidadas por essa aceitação cega da função do exemplo. O mesmo acontece com a obra de quase todos os linguistas; de fato, é difícil conceber um livro sequer sobre qualquer aspecto da língua que fale da coisa em si, e não dê exemplos dessa coisa. Por isso prefiro a filologia.

Comecei este livro com uma coisa que parece um exemplo: minha ignorância com relação àquilo que produz as formas da Lua e a consequente campainha de alarme que soou na minha mente. O alarme (tornando verdadeira a ideia de que "o medo é mau conselheiro") o tornou um exemplo, intercambiável por qualquer outra das muitas ignorâncias das quais padeço. O alarme abriu passagem para o fatalismo: seria impossível fazer a lista de todos os meus abandonos, e então mencionando um só posso transmitir uma ideia adequada da natureza de todos, poupando tinta. Mas quero acreditar que essa anedota é o exemplo de um exemplo, ou seja, dando uma volta inteira, a coisa em si, exemplo de nada, pura realidade histórica: minha vida vista da beira da morte.

9

UMA ANEDOTA QUE ME FAZ PENSAR: a morte de Évariste Galois, aos vinte anos, em 1832. Uma noite, numa taverna, teve uma briga a propósito de uma mulher, com uns valentões que talvez fossem provocadores profissionais, e não conseguiu evitar um duelo, acertado para o amanhecer. Ele foi para o seu quarto e esperou a hora escrevendo febrilmente, a fim de deixar registro das suas revolucionárias descobertas matemáticas. À primeira luz, se dirigiu ao campo de honra e o mataram. Sua obra tinha sido escrita numa noite, e é uma obra de grande peso, fundadora da matemática moderna. É uma história triste, mas com um final até certo ponto feliz, porque ele conseguiu deixar o testemunho do seu gênio, e não viveu em vão. Conseguiu fazer isso numas poucas horas, numas poucas páginas. Um romancista nas mesmas circunstâncias não teria conseguido. Ele conseguiu porque se tratava de matemática, e porque a matemática tem uma notação adequada. É nisso que eu acho que está a chave. Passei muitos anos inúteis, toda a minha juventude, buscando a notação da literatura; dito de outro modo, empreguei minha vã sobrevivência em sonhar o instante da minha morte antecipada.

Buscar a notação que me permitisse escrever todos os meus romances na última noite: o equivalente dessa fantasia em Évariste Galois teria sido empregar essas horas noturnas em elucubrar um modo de ser infalível com a pistola e sobreviver ao duelo. Acho que é o que eu teria feito no seu lugar, baseando-me na inquestionável verdade de que, no seu lugar, eu teria sido um gênio, e como tal não seria descabido tentar. Ele se mostrou mais razoável; era um gênio, mas um gênio da matemática, e nada além disso; estender e interpolar era uma perda de tempo. Eu teria feito assim porque as extensões e interpolações, mesmo as mais fantásticas, são as manobras às quais confiei meu destino. A literatura, como eu a entendo, é isso: uma extensão-interpolação de sentidos para o real. Ele, com perfeito senso comum, sabia que a matemática estava de um lado e a realidade do outro, e ficou com a primeira.

Quem sabe tivesse aprendido com a experiência, que apesar da brevidade foi uma fértil sucessão de calamidades. A história trágica do seu pai deve tê-lo marcado. Nicolás Gabriel Galois foi um típico produto do Iluminismo: voltairiano, enciclopedista, inimigo jurado da Igreja, aderiu com fervor à Revolução e foi devoto de Napoleão. Durante os últimos anos do Império foi prefeito de Bourg-la-Reine, cidadezinha perto de Paris onde seu filho nasceu. Típico em seu anacronismo, era um homem cortês e divertido, apreciado pelos vizinhos. Sua habilidade mais notória era a versificação; podia fazer, e habitualmente fazia, os jogos rimados mais engenhosos e encantadores sobre acontecimentos e personagens de Bourg-la-Reine. É sugestivo pensar que esse talento bastante frívolo foi o núcleo da herança genética que seu filho recebeu; as rimas são equações da língua, e é preciso lembrar que uma das descobertas transcendentais do filho aconteceu no campo das equações algébricas. Mas a versificação o perdeu. Já se sabe que os padres não perdoam, e são tão implacáveis quanto eficazes; um padre da cidade, "um padre engenhoso", escreveu um poema ao estilo de Galois pai, carregado de calúnias obscenas (ou verdades, dá no mesmo) sobre a família de um membro proeminente da comunidade, e o fez circular com a assinatura do amável poeta. Este, que deveria ter previsto o ataque de um inimigo tão pérfido como a Igreja, e a quem a formação filosófica deveria ter dado armas para resistir, desabou, certamente porque o tinham atingido no ponto mais sensível. Embora filho da Razão, esse truque o fez perder. A causa profunda deve ter sido não tanto o desprestígio social, mas o roubo do estilo, que na poesia é tudo. Ele não conseguiu resistir à mera possibilidade de que sua inofensiva excentricidade ficasse à mercê de uma "atribuição". Desenvolveu uma paranoia virulenta e se suicidou pouco depois.

Para seu filho, então com dezessete anos, a tragédia foi uma confirmação de uma espécie de paranoia objetiva cujos círculos concêntricos só se afastavam para se aproximar de novo. Já então abrira campos novos na matemática, embora continuasse sendo um aluno ruim num colégio de padres medíocre. Ele já tinha falhado numa primeira prova de admissão à École Polytechnique, e depois voltaria a ser rejeitado. Esses dois fracassos têm intrigado os historiadores. A École Polytechnique era uma das melhores da Europa naquela época, e seu corpo docente estava capacitado e atualizado para apreciar o talento científico à primeira vista. Também não havia preconceitos políticos ou religiosos que pudessem interferir, porque o estabelecimento era justamente uma vanguarda liberal e até subversiva. Como é possível então que reprovassem o melhor matemático vivo na prova de admissão, e não uma, mas duas vezes? A explicação, bastante plausível, combina elementos de diferentes ordens. Em primeiro lugar, é uma regra de alcance universal que os professores examinadores deem por certo que sabem mais do que os examinados: se o contrário acontece, suscita-se um diálogo de surdos, mesmo quando não há má intenção. Houve também um motivo mais particular: o jovem gênio adquirira o hábito de fazer mentalmente todos os passos intermediários das suas operações, chegando de um modo abrupto aos resultados. Em certo nível da matemática, precisamente o nível que deve ser avaliado numa prova de admissão, o que menos importa são os resultados. Um agravante foi que os exames da École eram orais.

Em três ocasiões ele tentou divulgar suas descobertas. Um primeiro memorial, em 1829, foi entregue em mãos ao renomado matemático francês do seu tempo, Augustin-Louis Cauchy, que prometeu apresentá-lo à academia, mas esqueceu, não o leu e depois o perdeu. O segundo e mais importante, redigido para concorrer ao

Grande Prêmio de Matemática da Academia de Ciências, chegou a ser apresentado; um jurado o levou para casa, mas morreu naqueles dias, e o manuscrito de Galois se extraviou entre seus outros papéis. O terceiro, em 1831, sobre a resolução geral das equações, apresentado à academia, foi por fim lido por um prestigioso matemático, S. D. Poisson, que o descartou com um lacônico "incompreensível". Aqui é possível culpar a mesma parcimônia, dessa vez por escrito, que o fizera falhar nas provas. Joseph Liouville, editor dos manuscritos póstumos de Évariste Galois no *Journal de mathématiques pures et appliquées*, em 1846, atribui a "obscuridade" de Galois a "um exagerado desejo de concisão".

O certo é que o jovem, renunciando à glória científica, se lançou à luta política, entendendo-a como o modo mais eficaz de destruir tudo o mais rápido possível. Não houve republicano mais ardente, ninguém que visse com mais horror a restauração bourbônica, o direito divino dos reis, o poder da Igreja. Algumas cartas incendiárias para um jornal, nos dias turbulentos da Revolução de 1830, o marcaram como suspeito de extremismo. Em 9 de maio de 1831, num banquete republicano, surpreendeu os comensais com um brinde ao rei: "A Louis-Philippe...". Mas, olhando melhor, viram que tinha na mão uma navalha aberta, o brilho do aço prometido para a garganta do monarca. Quis a má sorte que nesse momento passasse na frente do restaurante, e visse a cena da janela, Alexandre Dumas, autor de *Os três mosqueteiros* e ilustre dedo-duro. O resultado foi que naquela noite a polícia foi buscar Galois, processando-o por incitação ao regicídio. O advogado que seus amigos conseguiram para ele teve a boa ideia de argumentar que a navalha estava aberta e na mão do comensal pela simples razão de que a usava para cortar a carne, coisa perfeitamente razoável num restaurante. O júri, na realidade comovido pela juventude do acusado, usou essa ficção benévola para absolvê-lo.

Mas a polícia não aceitaria ficções; em poucos dias voltaram a prendê-lo, acusado de uso ilegal de uniforme (de fato, Galois usara, quem sabe por falta de outra roupa, parte do uniforme do corpo de Artilharia, ao qual estivera momentaneamente atrelado e que se dissolvera por decreto real). Dessa vez ele passou seis meses preso, sem julgamento, e saiu em liberdade condicional só porque uma epidemia de cólera na prisão tornou aconselhável esvaziá-la. Poucas semanas depois, no dia 29 de maio de 1832, se deu o incidente da taverna.

Pois bem, naquela noite, entre 29 e 30 de maio, ele escreveu tudo. Além das célebres páginas em que ficaram registradas suas descobertas matemáticas, intercaladas com uma expressão patética que se repete parágrafo após parágrafo, "Não tenho tempo!", escreveu umas cartas e um manifesto político que intitulou "Carta a todos os republicanos". Não é reproduzida nas suas biografias, então não a li, o que talvez seja preferível, porque não acredito que um pirralho de vinte anos possa saber alguma coisa de política.

O duelo foi com pistola, a vinte e cinco passos. Seus rivais e os padrinhos foram embora deixando-o ferido (quem sabe acharam que estava morto) e ele ficou ali largado durante várias horas até que alguém o viu. Foi levado agonizando para um hospital, onde morreu no dia seguinte. Nesse intervalo, foi identificado e a família avisada. Um irmão mais novo foi vê-lo, chorando. Ele lhe disse: "Não chore. Preciso de toda a minha coragem para morrer aos vinte anos".

Como será ter vinte anos? Com um esforço posso imaginar a coragem, o frescor, a beleza, o sorriso dessa idade. Mas vejo isso como algo longínquo, uma construção mental, quase desprovida de realidade. Alguma coisa que aconteceu há duzentos anos, em outro mundo, e ao mesmo tempo curiosamente próximo, íntimo. Uma fantasia pessoal. Tento lhe dar realidade interpolando com os jovens que vejo na rua, mas não é a mesma coisa.

Me é mais fácil pensar nisso pela via indireta do filme que poderia ser feito com a vida de Évariste Galois. Acho estranho não terem feito ainda, a não ser que tenha sido feito e eu não fiquei sabendo (ou que tenham escrito uma dessas aberrações chamadas "biografias romanceadas", mas é a mesma coisa). É inevitável que usem como marco a última noite, e toda a história se desenvolva numa série de flashbacks. Embora vulgar e batido, o recurso teria um sentido profundo nesse caso, porque seria uma tematização do mecanismo de condensação-amplificação que dominou a vida e a obra de Galois. Assim como as fórmulas matemáticas, os acidentes (ou o azar em geral) são concentrações atômicas de experiência, para as quais o tempo serve de tela de projeção.

Mas o protagonista do filme seria um desses atores bonitos, que em geral têm trinta anos, apesar do rosto de menino. Por mais bem feita que fosse, seria uma falsificação. Na realidade, a juventude verdadeira fica para além das imagens.

Entretanto, um jovem ainda precisa começar a viver. Pode ter tido todas as ideias, mas ainda precisa revisá-las, corrigi-las, invertê-las. É para isso que precisa de todos os anos e décadas seguintes. As ideias só podem lhe servir como uma mnemotécnica. Ter tudo na mente, como Évariste diante dos professores, é um sinal de juventude. Eu fiquei tentado com a ideia de viver tudo de uma só vez. Mas é impossível, porque eu teria que estar morto.

10

NÃO SE ESCREVEM ROMANCES na noite anterior à morte. Nem mesmo os brevíssimos que eu escrevo; e mesmo que os abreviasse mais ainda, também não conseguiria. Há um acúmulo de tempo que é inerente ao romance, uma sucessão de dias diferentes, sem a qual não é romance. O que se escreveu num dia é preciso ser defendido no seguinte, sem voltar atrás para corrigir (é inútil), mas avançando, dando sentido ao que não tinha, por necessidade de avançar. Parece mágica, mas na verdade tudo funciona assim; viver, sem mais. Nesse aspecto, que é fundamental, o romance derrota a lei dos rendimentos decrescentes: reformulando-a e fazendo-a trabalhar a seu favor, não contra.

Essa lei, que menciono sempre, pode ser explicada mais ou menos assim: suponhamos que haja uma mola de aço, de pé no chão, de um metro de altura. Colocamos sobre ela um peso de um quilo e ela desce noventa centímetros, até ficar reduzida a uma altura de dez centímetros. Para que desça mais um centímetro é preciso colocar um peso de cem quilos. E depois, para que desça outro milímetro, é preciso recorrer a pesos de centenas de toneladas... Com o trabalho intelectual, acontece a mesma coisa; não porque tenha que acontecer (não existe nenhuma relação necessária entre a física e o trabalho intelectual), mas acontece, é um caso de triunfo da analogia. Alguém abre um novo campo de atividade intelectual ou artística e o primeiro impulso cobre quase tudo. O caso clássico é Euclides: a partir da primeira ideia, em poucos dias, quem sabe em horas, conseguiu terminar seu livro, e estava feita a geometria; nos dois mil anos seguintes, uma inumerável legião de geômetras, dedicando a isso vidas inteiras, não conseguiu acrescentar mais do que uns poucos detalhes supérfluos. É claro, não é um exemplo. Foi o que aconteceu. Que tenha acontecido algo similar a outros (a Freud, a Darwin) significa que a lei de rendimentos decrescentes funciona, mas não reduz seus atores a exemplos, porque cada caso particular é por definição um todo histórico. Essa totalidade se reconstrói a cada vez que um artista descobre seu estilo; descobri-lo é realizá-lo, completo e acabado, e depois não resta nada a fazer; como isso costuma acontecer na juventude, o resto da vida transcorre numa atmosfera de inutilidade e desconforto, quando não na inquietude diante do que é percebido como uma tarefa colossal que consumiria dez vidas, e mesmo assim daria um fruto muito mesquinho: baixar a mola mais um milímetro, avançar mais um passo, depois das mil léguas atravessadas num pulo...

Nas novelinhas, acreditei encontrar, num formato cotidiano e visível, uma saída dessa armadilha, já que elas vão empurrando para a frente a consumação da arte que os justifica.

Kafka devia pensar alguma coisa assim quando se queixava das interrupções e dizia que uma história dava errado se não conseguia escrevê-la de uma vez só; mas a solução das novelinhas não serviu para ele, porque se tornavam infinitas. Eu solucionei esse inconveniente do meu jeito, com autênticos tours de force da tosqueira; o mesmo tédio e vergonha pelo que estava fazendo me convencia de que, uma vez terminada essa novelinha em processo, eu poderia morrer; antes não, porque ninguém saberia terminá-la. Então eu me precipitava em direção ao fim, e sempre chegava antes do que esperava (às custas da qualidade, é certo), e como marca de alívio colocava a data no pé da página.

Mas na verdade, nos fatos, não só não se escrevem romances na noite anterior dessa "coisa distinguida" (Henry James), como não se escrevem nas semanas ou meses ou anos prévios. Os romancistas se aposentam bem antes. Eu fiz isso há vários anos, embora tenha mantido um aceitável simulacro de atividade. Foi algo gradual, e eu nem percebia que não estava mais escrevendo romances. Escrevia primeiros capítulos, desistia, deixava para depois, me ocorria algo melhor... Só sobrava um sentimento de insatisfação e impotência.

Acabei percebendo onde estava o problema: no que se tem chamado "invenção de traços circunstanciais", quer dizer, os dados precisos do lugar, da hora, dos personagens, da roupa, dos gestos, do cenário propriamente dito. Começou a me parecer ridículo, infantil, esse detalhamento da fantasia, essas informações de coisas que na realidade não existem. E sem traços circunstanciais não há romance, ou há, mas abstrato e desencarnado, e não vale a pena. Quando tomei consciência dessa impossibilidade, comecei a buscar o modo de superá-la, porque no fundo não quero desistir de escrever; mas não acho uma saída. Por uma previsível perversão do espírito, agora não me ocorrem outros argumentos além dos que precisam de uma quantidade enorme de invenção de traços circunstanciais. Fiel ao meu procedimento de "fuga para a frente", quis tematizar o problema, escrever sobre ele, mas esse assunto, por sua própria natureza, é dos mais chatos de tematizar.

Na verdade, não tenho nada contra os traços circunstanciais. Eles não têm nada de ruim, pelo contrário, agradeço a eles por quase todas as minhas melhores leituras. Sempre se escreveram romances, e eles sempre foram usados, e eu continuo admirando, como admirei sempre, ou mais, os bons romances. O autor inventa um personagem e, para fazê-lo agir no devaneio seguinte, o devaneio-romance, tem que fazê-lo andar por uma rua, ou ficar sentado numa poltrona, entrar numa casa, seguir o voo de uma mosca, sentir frio ou calor, e nesse momento um cachorro late, um galo canta, a janela está entreaberta, ou aberta de par em par, ou fechada, a gravata é... verde... Muito bem, muito bem. Tudo isso e muito mais. É preciso fazê-lo, não tem outro remédio. Mas que outro o faça! A gente acaba entendendo que prefere ler a escrever. Que outro faça isso, e que o faça antes, quer dizer, que o tenha feito. Vistos como ready-mades, são mais aceitáveis. Uma vez escritos, os traços circunstanciais ganham um ar de necessários, quase como na realidade. Mas o momento de inventá-los é tão pueril, tão pouco sério... Só de pensar, sou tomado por um desânimo invencível.

O que fazer, então? "O que fazer?" (Lênin). Passei a vida fazendo isso e não sei fazer outra coisa. E agora não quero fazer. Quem sabe devesse mudar, me dedicar a outra atividade. Muitas vezes me propus a isso; quem sabe dessa vez até o leve a cabo, graças à oportuna invenção dessa repugnância a um detalhe essencial do ofício. Mas é verdade que não sei fazer outra coisa, então se eu deixar de escrever... o quê? Viver? É a resposta clássica. Ela pressupõe que até agora não o fiz. "Viver" seria esse inefável detrás de todas as renúncias e abandonos, a iluminação, o grande prêmio. Não, não consigo acreditar. É ridículo; um lugar-comum adolescente. Não consigo nem acreditar que eu leve isso a sério por um segundo sequer.

E no entanto, essa é a fórmula que eu pronuncio (para mim mesmo) como conjuração e talismã: "Não vivi". Não? Sério? E o que foi que eu fiz então? O que foi que eu fiz durante cinquenta anos? Poderia fazer uma lista de certa extensão, porque ao fim e ao cabo eu fiz muito, ainda que me mantenha firme: não vivi. Me aconteceram mil coisas, mas não as que tinham que ter acontecido. Por exemplo (mas não é um exemplo), nunca falei com os mortos, como fazia a garota do café de Pringles. Por isso não posso manter uma conversa normal com ninguém. Tenho que ficar calado escutando e depois, sozinho, perambulando pelos labirintos dos meus devaneios, me ocorre alguma coisa que eu poderia ter dito, ou feito, me apresso a anotar e depois enfio, à pressão, tendo a ver ou não, num romance (que serve para isso). A isso se reduz a gênese dos "traços circunstanciais". Não é de se estranhar que eu tenha acabado vendo-os com horror.

Com um Jesus-irmão morto eu não posso falar porque não acredito. Sou dos que não acreditam em nada. O que não é um mérito, porque não acreditar é um traço de imaturidade ou inexperiência. Se as coisas acontecessem comigo, não teria outro remédio senão acreditar nelas. Mas nisso eu sou um maximalista e digo que, se o visse, também não acreditaria. Se a Virgem aparecesse para mim, em toda a sua majestade, aí minha incredulidade se afirmaria sobre bases firmes, aí eu começaria a não acreditar de verdade. Acho que é a única postura honesta, porque um ceticismo provisório, à espera de um milagre, é o cúmulo da credulidade.

Uma espécie de milagre ao contrário, de milagre ruim, que me pôs à prova, foi a morte dos dois amigos que eu mais amei na minha vida adulta. Osvaldo e Jorgito morreram jovens, quarenta e cinco anos, um, cinquenta e quatro, o outro; nos dois casos, quando aconteceram, eu me refugiei na mais fechada negação, alucinei que continuavam vivos, planejava as cenas do reencontro, ríamos do mal-entendido... Muitos fazem a mesma coisa, deve ser um mecanismo de defesa muito natural. A gente demora a se acostumar com a ideia. "Não consigo acreditar..." Quem sabe a crença em geral só sirva para preparar essa negação de si mesma e para nos ajudar a passar pelo momento ruim. Pois bem, eu continuo sem acreditar. Não consigo acreditar que Osvaldo esteja morto. Não consigo acreditar que Jorgito esteja morto. Não consigo, e pronto. Lembro que Osvaldo me dizia: "Não consigo acreditar que Perón tenha morrido". Afinal, ele deve ter conseguido, porque Osvaldo era normal. A garota do café de Pringles também dizia que não acreditava na morte do irmão, mas ela não acreditava por um lado para conseguir acreditar mais por outro, para pegar impulso. Ela também era normal, ou, pelo menos, mais do que eu. Quando a gente afinal chega a acreditar é porque as coisas passaram, superaram esse estágio da sua invenção.

Escrevi em algum lugar, sem mentir, que não tomo nenhum cuidado com minha saúde ou minha segurança, porque não vale a pena. Com uma vida como a minha, seria uma falta de elegância; ou, dito de outro modo, a única oportunidade de exercer a elegância que uma vida como a minha pode dar é desprezá-la, ou, pelo menos, manter-se perfeitamente indiferente à sua continuidade ou interrupção. Se começo a pensar no assunto, chego à conclusão de que só me cuidaria se fosse um gênio ou se fosse milionário. Só mesmo. Nesses dois casos, e apenas neles, poderia fazer tudo (nos campos respectivos da alucinação ou da realidade: dá no mesmo qualquer um dos dois), e teria motivos para querer continuar vivendo por um tempo indefinido, como quase todas as pessoas, porque só vivendo é possível fazer tudo, ou ao menos alguma coisa. Por um acaso assombroso, meus dois amigos cumpriam com essas condições, e me pergunto se terá sido por isso que foram meus amigos: Osvaldo era um gênio, Jorgito era milionário. Literalmente, não como metáfora. E eles morreram, e eu sobrevivi.

Se eu deixasse de escrever, é como se eu ficasse sem nada, como se eu derrubasse uma ponte pela qual ainda não passei. Se eu sobreviver, continuarei escrevendo, isso é certo. Vou descobrir como fazer isso. Se eu morrer amanhã, não. Claro que amanhã terei terminado este livro, e terei colocado a data; estou me apressando para terminá-lo hoje, me precipitando, cego e surdo, a única coisa que importa a esta altura é terminá-lo, e na realidade nada me impede de fazer isso agora mesmo.

Se eu tivesse que fazer um resumo final, diria que o problema foi este: minha vida toda busquei o conhecimento, mas o busquei fora do tempo, e o tempo se vingou acontecendo em outro lugar. É por isso que a experiência não me ensinou nada (a questão da Lua) e o conhecimento ficou num plano alucinatório. E agora descubro que esse plano também me expulsa; se desdobra, desaparece... Num bom romance, atinge-se a ilusão mediante o acúmulo de traços circunstanciais, e para fazer esse trabalho é preciso acreditar. No dia anterior, é preciso acreditar, no dia posterior, ter acreditado.

Digo "dia" porque estou absorto no dia (hoje) em que termino um livro e coloco a data. Também porque a gente morre num dia. Poderia dizer "anos" ou "décadas". Mas meus anos e minhas décadas já passaram. Para escrever é preciso ser jovem; para escrever bem é preciso ser um jovem superdotado. Aos cinquenta anos já se perdeu boa parte da energia e da precisão.

18 de julho de 1999

POSFÁCIO

Escrever ontem, ter escrito amanhã

Ao final de *Aniversário*, César Aira nos oferece uma das mais precisas metáforas jamais concebidas acerca do fazer literário:

> [...] suponhamos que haja uma mola de aço, de pé no chão, de um metro de altura. Colocamos sobre ela um peso de um quilo e ela desce noventa centímetros, até ficar reduzida a uma altura de dez centímetros. Para que desça mais um centímetro é preciso colocar um peso de cem quilos. E depois, para que desça outro milímetro, é preciso recorrer a pesos de centenas de toneladas...

A imagem da mola de aço, com efeito, demonstra a lei dos rendimentos decrescentes, princípio fundamental em economia que descreve como os benefícios marginais de adicionar mais de um recurso ou fator de produção diminuem à medida que são usados. Por meio da mola de aço, Aira exibe seu ceticismo com relação ao "detalhamento da fantasia", a obrigação de, para que o romance se faça crível, preenchê-lo com dados circunstanciais, de modo a compor ambientação, personagem, a cena completa, em suma, na qual se dará a ação narrativa, "informações de coisas que na realidade não existem".

À antipatia pelo aspecto braçal da composição realista em seu esforço por mimetizar a realidade acompanha outras manifestações, como a citação atribuída a Paul Valéry, que afirmou não escrever romances simplesmente por ser incapaz de elaborar frases tão banais quanto "a marquesa saiu às cinco da tarde".

Com alguma razão, poetas não se deixam subjugar por ações, cenários, explicações, intrigas e conflitos, enchimentos de linguiça literários, cenas para criar clima e suspense, sequências e continuidade, diferentes sintaxes destinadas aos distintos personagens, parágrafos, capítulos e mais capítulos, enfim, pela verbosidade do verbo. Uma amiga, Ivana Arruda Leite, poeta e contista pródiga em seu minimalismo, costuma demonstrar o aborrecimento com a escrita de romances, acusando-a de se tratar de "um tal de abrir e fechar de portas".

Seja como for, a boutade do mestre francês ganhou sobrevida por meio da ironia, já que ao menos dois outros poetas e ficcionistas argentinos, Julio Cortázar e Alejandra Pizarnik, talvez em desacordo com Aira, a aplicaram ironicamente em ficções. "A marquesa saiu às cinco" é a frase de abertura de *Os prêmios* (1960), romance de estreia do cronópio; de igual maneira, com o divertido acréscimo de uns minutinhos, Pizarnik inicia seu *Las conversaderas* com a frase "A marquesa saiu às cinco *e cinco*".

A reflexão de Aira, entretanto, se origina na última noite da curtíssima biografia de Évariste Galois, jovem prodígio da matemática falecido aos vinte anos de idade num duelo com armas de fogo. Aos dezessete, Galois resolveu num só gesto simultâneo um antigo problema matemático, que permitia resolver um polinômio por raízes, além de criar um novo ramo da álgebra abstrata, a teoria dos grupos. Resolveu mas não convenceu, pois suas explicações soaram demasiado abruptas e deselegantes aos responsáveis por aprová-las.

Segundo consta, na noite que antecedeu sua morte pelas mãos de um rival amoroso, Pescheux d'Herbinville, exímio atirador cuja noiva teria sido amante de Galois, o jovem desesperado escreveu três artigos elucidando suas teorias, além de cartas destinadas ao amigo que deveria enviar os textos a renomados matemáticos a fim de que seu teor obtivesse a devida difusão. Dez anos depois da morte, Évariste Galois recebeu o reconhecimento por seu gênio.

Premido pela urgência, o jovem matemático não teve outra saída, a não ser dedicar as poucas horas que lhe restavam a concluir de forma compreensível (algo que ainda não conseguira, graças à sua impaciência com a exposição teórica e ao temperamento explosivo — chegou a acertar com o apagador de lousa o cocuruto de um mestre por causa de uma reprovação) as teorias às quais se dedicava desde a adolescência. Assim, a proximidade do fim o obrigou ao acerto.

Aira se utiliza dessa urgência frente ao inevitável da morte para, no final do livro, estabelecer o princípio dialético disparador do sentido de *Aniversário*, o chiste sobre as fases da Lua que abre a novela, discordando de si mesmo. Se lá no início, ao perceber que nunca compreendera a mecânica lunar, após brincar com a esposa a respeito do assunto, o narrador conclui ter chegado aos cinquenta anos sem aprender coisas básicas, isto comprovaria apenas que sua vida não passou de um desperdício de tempo. O funesto epílogo do jovem Galois lhe serve para *llevar la contraria*, ser do contra, opondo-se ao próprio pensamento.

Na obra de Aira tudo o que não é literatura pode aborrecer mortalmente, mesmo um texto aparentemente autobiográfico. Corre pelas entrelinhas de *Aniversário* uma linhagem literária não mencionada de forma direta, a da morte interrompida, ou morte suspensa, inaugurada por Ambrose Bierce em "Um incidente na ponte de Owl Creek", conto de 1890 no qual um oficial confederado está prestes a ser enforcado em cima de uma ponte, mas a corda se rompe, ele cai no rio e, mesmo sob os tiros dos rivais, consegue escapar. Depois de longa jornada, o oficial consegue chegar a um rancho iluminado, que o leitor desconfia ser sua propriedade. No entanto, ao ver através da janela sua esposa e filhas sãs e salvas, a narrativa volta abruptamente ao início, em que a corda continua inteira, estica-se e o mata, enforcado. Tudo não passou do último desejo de revê-las.

Na literatura argentina, o tempo suspenso ou estendido (com o advento da física quântica, como saber?) aparece em Cortázar, mais claramente em "A ilha ao meio-dia" (1966), jogo de ilusão ótica em que um comissário de bordo da linha que sobrevoa as ilhas gregas, Marini, a fim de escapar do seu entediante trabalho, passa a observar uma ilha resplandecente pela janelinha do avião quando a sobrevoam, logo se obcecando pela fugaz visão, a ponto de redirecionar sua vida à finalidade de habitar o lugar. Quando consegue, após diversos contratempos, enfim desfrutar brevemente da sua estada, da praia onde se encontra ele vê cair no mar o mesmo avião no qual trabalhou. Marini nada até o local do acidente e arrasta um homem pelos cabelos, mas, ao final, resta na praia apenas um homem afogado, em seu uniforme de comissário de bordo, o próprio Marini, com a garganta esfacelada. Implícita, resta a sugestão de que tudo não passou da ilusão vivida pelo comissário de bordo nos instantes finais da queda do avião.

Antes disso, em 1944 (escrito em 1943), Jorge Luis Borges publicou "O milagre secreto" na coletânea *Ficções*. No conto, um semiconhecido dramaturgo judeu, Jaromir Hladik, encontra-se diante do pelotão de fuzilamento nazista num presídio de Praga, e recebe de Deus mais um ano para concluir o drama em verso inacabado que, em sua vácua esperança, irá distingui-lo. Após receber a concessão divina, "em sua mente um ano transcorria entre a ordem e a execução da ordem", Hladik é atingido pela rajada de disparos e morre. Como na epígrafe do Alcorão que encabeça o conto, na qual Deus faz alguém morrer durante cem anos e, ao reanimá-lo, pergunta-lhe quanto tempo esteve "ali" (morto), recebendo a resposta: "Um dia ou parte de um dia".

Semelhantes ao contexto da biografia de Galois, os contos de Bierce, Cortázar e, particularmente, "O milagre secreto" diferem em dois aspectos daquele experimentado pelo jovem matemático francês. O primeiro, sem dúvida, refere-se à realização: Galois não somente escreveu na sua última noite os textos teóricos de que necessitava, como obteve seu ansiado reconhecimento, ainda que póstumo. O segundo aspecto, mais trágico, a despeito de ser uma história do passado, e o passado de algum modo tende a se assemelhar a um pesadelo vivido por outros e sonhado por nós, é que se trata de uma história real, portanto, de uma vida concreta que se desfez precocemente no plano da realidade.

Nesse sentido, o subtexto de *Aniversário* talvez o aproxime mais do episódio vivido por Anthony Burgess quando o autor britânico, em 1959, após sofrer um colapso em plena sala de aula, recebeu o diagnóstico de tumor cerebral. Os médicos lhe informaram que tinha apenas um ano de vida, e Burgess, sem saída a não ser sobreviver àquele ano, passou a escrever em ritmo alucinado, produzindo seis romances no período, dentre eles a obra-prima *Laranja mecânica* (1962). Em sua entrevista à *The Paris Review*, em 1972, consciente do equívoco médico e questionado por ter se decidido a escrever em vez de viajar, por exemplo, respondeu: "Para viajar pelo mundo é preciso dinheiro, e isso eu não tinha". Sua ideia ao escolher a escrita foi, além de pagar as contas, deixar algum faturamento correspondente aos direitos autorais para sua viúva. Contudo, Burgess só morreu em 1993, aos 76 anos de idade.

Neste livro de Aira podemos falar em vida prolongada, sem dúvida, percebida com a chegada dos cinquenta anos ("*sin cuenta*", é inevitável lembrar do trocadilho, feito pelo próprio Aira, no ensaio "El tiempo y el lugar de la literatura", respectivo à visão do Aleph pelo protagonista do conto de Borges) e a consequente permissão para escrever cem, duzentos livros (como saber, no momento em que escrevo este posfácio, "*sin cuenta*", a cifra exata de títulos publicados por Aira?). Assim, em que medida o prolongamento de uma vida de escritor se distingue de uma morte suspensa, como acontecida com Hladik e Burgess? Em "A linguagem ao infinito" (1963), no qual comenta o mencionado "O milagre secreto", Foucault cita Maurice Blanchot: "escrever para não morrer [...] ou talvez mesmo falar para não morrer é uma tarefa sem dúvida tão antiga quanto a fala". A fala, com certeza, só pode ser a de Sherazade.

Voltemos à mola de aço e à lei dos rendimentos decrescentes. O que seria imperdoável, além de não escrever o que deveria ser escrito ao longo do tempo, limitado ou não, estendido ou não, de uma vida? Sem dúvida, um resultado medíocre, proveniente dos benefícios marginais e fatores de produção aplicados, conduzindo à imobilidade da mola. Outro episódio concreto da literatura (no plano da realidade palpável e não da ficção), muito afim à imagem da mola de aço que não baixa sem incontáveis quantidades de peso, envolve o poeta norte-americano Edgar Lee Masters, autor da *Spoon River Anthology* (1914), coleção de poemas totalmente insólita, ao modo da *Antologia palatina*, que reuniu aforismos e poemas breves correspondentes aos períodos clássico e bizantino da poesia grega.

Masters, obscuro advogado de Chicago, trancou-se num hotel e escreveu, como que acometido por um transe similar aos descritos por W. B. Yeats em "The Second Coming", mais de duzentos poemas traçando a vida do imaginário povoado do Meio-Oeste estadunidense que intitula o livro. Na íntegra, são epitáfios em primeira pessoa escritos em versos livres, lapidares (não custa recordar a etimologia: gravado em pedra, relativo a lápide), retratando personagens e a tragédia do lugar. *Spoon River Anthology* inaugura o modernismo estadunidense, dando passagem a Ezra Pound, T.S. Eliot e gangue, convertendo-se em fulgurante obra-prima da literatura do país do século 20. Mas o que justificaria, depois de tê-la escrito, Masters retornar às banais imitações de Shelley ou Tennyson e às peças de teatro convencionais e modorrentas que caracterizavam sua produção anterior? O que poderia explicar, no questionamento de Alberto Girri, seu tradutor ao espanhol, que esse autor voltasse depois, "durante o resto da sua extensa vida, à mediocridade inicial em prosa ou em verso, é um fato bastante espantoso".

Masters, como o Euclides citado por Aira, passou a existência carregando pesos figurativos para que sua mola baixasse e a obra avançasse, sem êxito:

> a partir da primeira ideia, em poucos dias, quem sabe em horas, conseguiu terminar seu livro, e

estava feita a geometria; nos dois mil anos seguintes, uma inumerável legião de geômetras, dedicando a isso vidas inteiras, não conseguiu acrescentar mais do que uns poucos detalhes supérfluos.

O que César Aira propõe em *Aniversário* se opõe às possibilidades, ou ditadas pelo acaso (Burgess, Masters), ou pela fatalidade (Galois), de prosseguir a escrever. Em seu caso, o da continuidade da vida que segue, demarcada pela chegada aos cinquenta anos ("*sin cuenta*"), a existência exige ser "preenchida" de dados circunstanciais, pois somente assim o escritor terá a matéria-prima e o tempo necessários para escrever o que precisa escrever, a obra, medíocre ou não, boa ou ruim, apenas pela decorrência inevitável de não ter morrido: de continuar a existir, provando da experiência oferecida pelo ato de viver, nas longas mil e uma noites de fala endereçada para além da morte. Caso contrário, no dizer de Georges Bataille, "a vida pode se perder no morto, os rios no mar e o conhecido no desconhecido", ou, como sintetizou Robert Louis Stevenson, "viajar com esperança é melhor do que chegar, e o verdadeiro sucesso é trabalhar".

JOCA REINERS TERRON

Nasceu em Cuiabá, em 1968. Publicou, entre outros, Do fundo do poço se vê a Lua *(prêmio Machado de Assis da Fundação Biblioteca Nacional, 2010),* Noite dentro da noite *(2017),* A morte e o meteoro *(2019),* O riso dos ratos *(2021) e* Onde pastam os minotauros *(prêmio APCA, 2023), os três últimos pela Todavia. Atualmente vive em São Paulo.*

Título original: *Cumpleaños*

DIRETORAS EDITORIAIS Fernanda Diamant e Rita Mattar
EDITORA Eloah Pina
ASSISTENTE EDITORIAL Millena Machado
REVISÃO Eduardo Russo e Fernanda Campos
DIRETORA DE ARTE Julia Monteiro
IDENTIDADE VISUAL E CAPA Celso Longo e Daniel Trench
IMAGEM DA CAPA NASA, ESA, CSA, STScI; domínio público
PROJETO GRÁFICO DO MIOLO Alles Blau
EDITORAÇÃO ELETRÔNICA Página Viva

CIP-BRASIL. CATALOGAÇÃO NA PUBLICAÇÃO
SINDICATO NACIONAL DOS EDITORES DE LIVROS, RJ

A254a

Aira, César, 1949-
Aniversário / César Aira ; tradução Joca Wolff, Paloma Vidal ; posfácio Joca Reiners Terron. — 1. ed. — São Paulo : Fósforo, 2025.

Tradução de: Cumpleaños
ISBN: 978-65-6000-068-1

1. Ficção argentina. I. Wolff, Joca. II. Vidal, Paloma. III. Terron, Joca Reiners. IV. Título.

CDD: 868.99323
CDU: 82-3(72)

24-95381

Meri Gleice Rodrigues de Souza — Bibliotecária — CRB-7/6439

Editora Fósforo
Rua 24 de Maio, 270/276, 10º andar, salas 1 e 2 — República
01041-001 — São Paulo, SP, Brasil — Tel: (11) 3224.2055
contato@fosforoeditora.com.br / www.fosforoeditora.com.br

Este livro foi composto em GT Alpina
e GT Flexa e impresso pela Ipsis
em papel Bibloprint 60 g/m² para a
Editora Fósforo em dezembro de 2024.